Merry Christmas

Word Search

D0107208

1

G	O	K	R	C	S	S	G	N	F	A	I	L	N
R	S	D	T	D	T	K	H	X	P	U	E	D	F
E	O	H	K	O	Z	W	O	M	S	G	Q	C	A
E	G	K	O	Y	N	G	Y	B	N	F	S	H	Y
T	B	B	L	C	R	O	A	A	R	N	U	E	P
I	L	M	N	E	G	L	B	P	L	P	R	A	A
N	I	N	M	X	Y	D	E	R	V	P	D	V	N
G	Z	A	T	G	Y	K	L	Y	Z	C	G	E	F
S	Z	C	Z	E	Y	V	L	P	J	U	X	N	S
A	A	S	S	S	X	Q	S	A	H	I	T	L	K
Q	R	D	J	Z	N	R	U	R	G	F	T	Y	N
Z	D	Z	C	P	L	V	Z	T	X	A	O	W	M
P	S	E	V	X	X	U	C	Y	H	O	P	I	D
O	N	L	Z	D	K	Z	E	T	S	B	F	A	U

GOLD   GREETINGS
HEAVENLY PARTY
ANGEL   BELLS
BLIZZARD BOOTS

2

S	T	O	X	K	H	Q	Z	G	H	V	N	B	A
C	N	F	T	A	R	W	E	O	K	L	A	K	Q
D	A	O	Z	L	B	U	W	A	V	I	S	I	T
E	A	L	W	S	S	U	F	V	J	U	Y	Y	F
C	F	Q	F	F	H	O	P	E	A	P	A	X	I
E	N	E	H	I	L	G	B	L	K	Y	L	X	E
M	P	T	Q	E	R	A	C	L	N	L	Q	R	F
B	B	I	R	T	H	S	K	C	S	J	P	G	M
E	C	E	D	A	R	T	A	E	Z	W	D	L	D
R	S	D	H	M	S	C	N	N	E	F	T	O	X
G	L	N	P	M	L	J	G	Z	K	V	O	K	F
P	X	Q	O	G	Q	U	E	E	N	T	D	Z	C
W	X	W	F	W	J	P	L	P	A	J	I	U	T
W	D	G	G	V	Y	P	S	J	A	P	E	E	E

ANGELS   CEDAR
DECEMBER   HOPE
MRS CLAUS   BIRTH
SNOWFLAKE   SNOWY
VISIT

3

P	P	H	A	K	R	A	R	O	V	K	Y	D	T
Q	C	O	U	D	I	W	R	E	A	T	H	X	Y
H	A	J	V	G	O	K	V	A	F	C	A	E	Q
U	N	K	B	X	O	V	P	O	I	F	N	R	D
D	D	R	B	T	K	C	Y	Q	S	V	H	A	B
W	L	P	A	T	D	T	X	B	Y	P	L	L	E
R	E	C	M	D	W	I	M	M	H	U	Z	P	T
X	S	M	A	R	V	H	A	I	Z	U	K	W	H
T	L	A	B	N	X	E	S	U	B	V	O	C	L
M	O	A	D	E	D	C	N	X	U	B	E	K	E
M	Q	U	Y	D	D	Y	O	T	L	U	Z	X	H
T	S	M	R	Q	T	B	U	D	A	K	Y	S	E
U	D	R	P	B	Q	X	Z	Q	U	B	T	G	M
Q	X	U	P	W	A	S	S	A	I	L	G	P	X

ADVENT   BETHLEHEM
CANDLES   XMAS
BOW   BOX
CANDY   WASSAIL
WREATH

4

```
G  N  L  N  W  E  Q  Y  C  U  T  M  N  Y
K  U  K  A  Q  J  E  M  A  J  F  C  J  M
N  S  I  A  O  L  O  A  N  S  K  A  I  U
S  X  W  N  C  P  Q  N  D  L  Z  U  J  P
N  N  P  I  C  D  W  G  Y  O  I  L  N  S
O  S  C  M  D  D  C  E  C  V  H  C  V  X
W  I  K  N  Z  R  R  R  A  E  S  H  N  I
B  R  U  Q  I  C  H  T  N  C  E  I  X  X
A  E  V  E  R  G  R  E  E  N  L  M  V  G
L  I  Y  I  J  P  C  O  L  D  E  N  K  A
L  L  U  X  G  P  C  L  A  C  K  E  U  Y
S  E  L  E  D  H  L  W  J  G  D  Y  H  P
J  H  E  Z  H  T  T  O  A  V  S  L  V  J
Z  B  O  I  Y  N  U  H  A  W  Z  M  Y  H
```

CHIMNEY   COLD
CANDY CANE   EVERGREEN
ICICLE   LOVE
MANGER   SNOWBALL
YULE

5

```
A  V  Z  V  U  P  A  K  R  F  M  Y  E  Q
B  N  B  U  W  D  A  I  N  S  R  V  N  J
A  H  V  R  R  Q  V  A  E  T  F  O  H  Z
W  S  V  X  F  R  P  V  N  L  T  F  B  A
T  H  Z  F  F  E  L  I  P  I  F  S  O  M
O  W  W  Y  Q  E  W  Y  N  M  R  S  F  T
Z  R  F  I  R  E  W  O  O  D  U  E  E  R
T  C  O  L  D  S  A  R  W  G  I  D  S  B
O  P  A  B  X  N  V  J  B  F  T  O  T  S
O  C  I  F  D  O  N  V  G  X  C  I  I  X
U  F  W  Y  D  W  U  F  S  T  A  A  V  E
T  E  Y  V  M  D  V  X  X  W  K  J  A  H
W  T  M  Y  R  R  H  M  E  L  E  I  L  D
C  Q  D  E  C  O  R  A  T  I  O  N  S  C
```

COLD   DECORATIONS
ELVES   FESTIVAL
FIREWOOD   FRUITCAKE
MYRRH   SNOW
WINTRY

6

D	G	I	O	R	D	M	Q	H	J	Z	R	X	M
E	C	A	N	D	L	E	Q	K	B	L	B	L	I
C	Q	J	N	M	T	C	Q	O	A	P	O	C	S
O	V	B	T	X	N	P	J	J	P	A	E	D	T
R	H	V	M	Y	H	L	M	X	O	M	Y	E	L
A	A	Y	I	C	O	V	M	I	J	Q	I	C	E
T	M	K	R	E	G	G	N	O	G	X	B	O	T
I	W	S	A	I	I	C	P	G	D	D	D	R	O
O	B	U	C	S	B	P	O	Y	H	C	Q	A	E
N	H	S	L	S	C	M	Y	O	B	U	V	T	N
E	U	K	E	E	M	B	K	C	K	V	L	E	K
M	D	R	E	S	S	I	N	G	P	I	D	D	Q
D	B	D	A	W	W	R	Y	M	X	L	E	V	T
G	I	T	A	W	H	P	A	C	K	A	G	E	G

DECORATION	DRESSING
EGGNOG	HAM
MIRACLE	MISTLETOE
CANDLE	COOKIE
DECORATE	PACKAGE

7

A	L	K	D	O	R	N	A	M	E	N	T	S	A
Z	N	I	D	I	S	P	L	A	Y	U	X	A	O
C	J	G	N	Z	Z	U	R	Q	D	G	N	H
D	F	Y	F	S	G	D	W	B	A	O	Q	W	O
T	Y	A	L	N	L	I	C	Y	N	H	R	C	X
R	E	D	Q	I	S	M	F	G	B	L	F	X	I
F	A	M	I	L	Y	P	G	T	V	Y	I	F	K
K	O	T	A	E	O	E	H	F	E	U	F	Y	I
S	J	A	C	K	F	R	O	S	T	S	E	H	U
N	F	E	K	T	I	P	Z	X	C	U	A	Q	G
D	N	W	V	D	H	R	V	M	A	K	S	Q	B
X	K	B	Y	E	L	U	F	R	O	S	T	Y	K
T	D	V	H	Q	V	F	G	C	W	C	O	S	W
P	X	K	O	P	I	C	N	E	T	R	F	Y	C

JACK FROST	DISPLAY
EGGNOG	EVE
FAMILY	FEAST
FROSTY	GIFT
HUG	ORNAMENTS

8

Y	A	T	G	R	L	H	I	L	S	S	R	T	G
Q	N	T	I	R	D	C	Q	H	H	L	X	P	I
J	T	J	C	F	E	T	S	D	O	V	D	Q	F
S	I	A	A	L	D	E	B	Z	P	P	O	E	T
Z	M	H	P	Z	R	U	T	O	E	F	V	L	G
E	A	A	E	X	X	A	C	I	D	L	F	F	I
N	M	P	Z	I	V	J	A	R	N	I	N	R	V
N	A	P	T	Q	D	Z	R	A	S	G	R	I	I
Y	K	Y	I	T	P	G	D	D	R	R	S	J	N
V	P	A	A	X	N	N	U	G	J	G	J	I	G
I	K	T	S	U	O	Z	R	E	R	X	W	C	G
S	I	U	Q	I	F	F	J	L	S	T	F	Y	K
R	P	A	F	E	S	T	I	V	E	T	V	X	A
H	A	M	G	X	R	G	C	R	H	O	P	P	U

CAP   CARD
ELF   FESTIVE
GIFT-GIVING   GREETINGS
GUEST   HAPPY
HOPE   ICY

9

U	T	N	T	H	E	D	A	F	H	M	U	N	U
A	W	Y	A	A	J	L	J	C	E	S	H	E	G
L	T	K	U	T	Y	J	J	J	W	Z	O	B	J
J	B	J	E	N	I	A	E	O	V	Z	L	K	O
P	N	O	A	Q	W	V	Z	S	E	S	L	I	Y
I	E	X	C	V	T	S	I	E	U	X	Y	A	F
M	P	O	H	L	O	G	N	T	O	S	D	C	U
Y	D	N	I	I	G	F	X	A	Y	I	R	H	L
E	O	L	L	Y	S	R	N	V	L	Y	E	I	C
K	A	D	L	G	Z	F	E	O	C	J	E	L	P
Y	Q	M	N	K	G	D	H	E	M	X	U	L	H
O	A	I	O	R	F	P	G	T	N	M	T	Y	O
T	K	Y	Z	N	M	R	V	B	O	B	V	B	X
Z	E	O	Q	L	U	A	L	P	Q	S	Z	D	O

JESUS   CHILL
CHILLY   GREEN
HOLIDAY   HOLLY
JOYFUL   KINGS
LOG   NATIVITY

10

B	D	H	L	B	I	Q	F	P	H	H	M	C	W
L	E	V	D	I	X	O	J	R	W	A	N	D	T
N	K	I	Z	R	D	A	C	H	U	R	C	H	M
O	B	G	H	T	D	G	V	V	M	O	I	I	I
R	G	C	L	H	E	E	C	B	H	M	B	X	S
T	C	O	G	M	O	R	V	D	U	A	D	C	T
H	L	P	T	O	W	Y	B	R	U	H	H	I	L
P	U	U	F	X	O	C	W	Z	L	Y	H	D	E
O	N	A	C	Y	T	D	O	K	M	J	Y	E	T
L	W	W	F	L	D	M	W	B	H	U	Q	R	O
E	M	I	H	B	O	L	O	I	S	K	S	J	E
U	S	T	K	V	Y	V	X	S	L	Q	P	I	N
N	K	J	I	N	G	L	E	B	E	L	L	S	C
T	X	T	L	W	Z	S	A	S	R	J	U	D	F

AROMA	BIRTH
CHURCH	CLOVES
MUSIC	NORTH POLE
NUTMEG	CIDER
GOODWILL	JINGLE BELLS
MISTLETOE	

11

```
X  B  O  F  M  W  A  L  N  U  T  S  S  S
N  H  X  G  X  L  I  N  Y  F  E  P  F  V
C  B  Y  S  L  A  Y  N  O  E  P  W  R  B
X  V  L  M  B  S  L  S  F  F  P  R  D  P
E  X  I  G  N  D  F  D  J  A  N  F  S  F
T  O  D  Y  K  S  R  F  M  W  N  E  Y  P
R  H  P  F  U  N  W  R  A  P  I  T  G  E
I  L  V  A  P  V  Y  L  G  P  G  C  A  P
B  Z  M  M  A  Y  G  R  A  V  Y  A  Y  I
B  V  U  I  P  U  T  G  R  X  Z  P  B  P
O  H  H  L  P  E  I  G  E  N  U  T  S  H
N  O  D  Y  I  S  M  Z  A  O  U  S  P  A
S  O  X  W  P  B  J  W  E  I  M  U  K  N
A  E  O  I  K  Q  K  U  R  W  C  I  L  Y
```

EPIPHANY   FAMILY
GRAVY   HYMNS
INFANT   KWANZAA
NUTS   PIES
RIBBONS   UNWRAP
WALNUTS

12

U	V	R	E	W	S	X	J	T	E	F	N	E	E
Q	E	Y	J	F	O	T	Z	V	P	M	R	D	N
U	B	B	W	Z	G	R	V	G	L	E	A	S	U
K	F	H	Y	O	P	L	K	Z	G	R	H	N	F
B	X	G	V	P	A	C	M	S	A	B	Y	H	N
N	D	V	K	T	G	T	N	P	H	P	J	W	Q
F	Q	U	O	Q	E	O	V	W	L	O	Z	Q	M
T	K	G	S	T	A	R	A	B	H	O	P	C	O
I	J	H	B	R	N	C	V	G	R	O	I	R	U
S	Y	U	L	E	T	I	D	E	O	C	Q	G	L
F	X	P	F	Y	D	A	M	S	Q	T	U	J	F
O	B	R	E	I	N	D	E	E	R	G	I	E	G
K	D	X	Q	P	O	I	N	S	E	T	T	I	A
I	P	F	H	S	U	G	A	R	P	L	U	M	S

SUGAR PLUMS   PAGEANT
PARADE   POINSETTIA
REINDEER   STAR
WORKSHOP   YULETIDE

13

W	K	F	P	P	J	L	C	S	R	G	N	T	O
W	R	P	R	E	S	E	N	T	S	W	N	J	P
K	E	X	S	A	N	T	A	C	L	A	U	S	H
J	C	C	F	E	S	U	G	A	R	P	L	U	M
B	E	F	H	Z	S	W	O	R	K	S	H	O	P
U	I	I	A	Q	H	S	W	E	A	T	E	R	U
P	V	I	T	D	L	T	H	Q	O	F	F	F	R
Y	E	U	T	M	S	I	X	J	D	W	V	I	S
M	Y	E	Q	D	N	N	Z	T	M	X	B	Y	Q
T	I	D	I	N	G	S	O	U	W	G	F	N	A
O	B	Z	X	N	I	E	F	R	Z	P	F	A	O
U	N	W	R	A	P	L	Q	K	C	L	J	N	A
R	C	V	N	Q	U	B	W	E	E	O	I	R	P
C	D	O	C	E	U	H	G	Y	W	P	C	B	Z

SANTA CLAUS   PRESENTS
RECEIVE   SUGARPLUM
SWEATER   TIDINGS
TINSEL   TURKEY
UNWRAP   WORKSHOP

14

```
X  V  I  O  U  N  G  L  N  I  W  A  F  V
S  Q  K  F  I  R  E  P  L  A  C  E  S  G
N  P  K  I  T  O  K  O  G  Q  T  L  L  F
C  I  D  N  T  V  O  N  B  W  I  I  Y  P
V  A  G  O  L  D  I  S  Y  Z  R  G  W  B
K  C  R  P  V  L  M  N  C  I  G  H  N  L
G  B  G  O  O  A  K  I  X  O  H  T  Q  W
L  A  L  R  L  P  Q  R  T  Z  A  S  K  C
Z  C  A  V  Q  E  C  L  A  T  J  L  G  G
D  C  K  M  J  J  R  O  R  M  E  L  Y  O
F  Q  S  I  N  C  C  S  R  R  P  N  R  P
E  O  M  S  A  S  T  B  D  N  A  U  S  E
J  N  A  U  G  H  T  Y  S  F  R  R  S  W
C  G  S  R  S  A  E  I  F  W  I  W  I  G
```

KRAMPUS   CAROLERS
CAROLING   COAL
FIREPLACE   GOLD
LIGHTS   MITTENS
NAUGHTY   POPCORN

15

X	B	G	C	N	M	C	Y	R	S	H	L	Z	X
T	O	B	O	G	G	A	N	Z	I	S	O	O	A
T	Y	E	Q	R	S	T	O	C	K	I	N	G	U
S	Y	Y	J	B	D	I	W	N	X	T	H	E	R
T	C	W	U	F	S	L	I	I	W	B	R	D	Z
L	R	R	I	L	W	R	A	P	T	A	C	F	C
H	E	W	O	N	E	R	Q	O	B	X	X	J	A
K	D	C	C	O	U	L	H	I	V	U	P	Y	R
Q	A	J	S	R	G	H	O	K	L	T	F	A	O
N	Z	W	T	L	I	E	B	G	D	W	F	D	L
P	I	N	X	M	C	T	Y	Y	T	R	I	P	S
P	U	X	B	K	N	E	U	J	O	B	B	O	O
N	Y	F	W	X	R	Z	S	A	J	F	B	G	T
X	S	R	V	J	A	N	R	H	L	L	Y	U	X

SCROOGE   CAROLS
RED   RITUAL
STOCKING   TOBOGGAN
TRIPS   WRAP
YULE LOG

16

```
Z  I  M  H  L  L  C  J  H  T  E  L  I  G
S  Y  G  H  U  T  E  R  E  J  O  I  C  E
M  A  K  X  F  D  R  E  R  X  Y  P  B  B
Y  H  J  P  R  M  B  X  D  H  O  U  I  O
B  P  I  U  I  G  C  O  Q  J  K  L  Y  V
H  A  Q  D  B  B  H  C  Q  S  E  Z  S  O
X  R  V  H  B  Y  R  F  F  E  I  X  E  R
L  T  T  I  O  S  I  E  R  B  D  R  A  R
Y  R  R  R  N  K  S  T  Y  F  S  T  S  U
X  I  D  O  M  C  T  G  O  O  S  E  O  Y
V  D  A  Y  N  S  M  Y  N  N  T  W  N  F
U  G  E  Z  Z  Y  A  A  O  A  A  S  E  Z
T  E  F  P  A  A  S  T  E  C  R  Y  W  X
M  G  J  M  U  D  A  I  L  G  G  E  L  E
```

CHRISTMAS	NOEL
GOOSE	PARTRIDGE
REJOICE	RIBBON
SEASON	TREE

17

A	A	T	F	S	H	X	Y	F	J	M	W	Y	L
H	I	R	R	N	W	N	J	L	G	T	O	Y	U
R	S	I	N	E	Z	I	A	B	M	B	L	J	J
J	H	M	Y	V	U	E	N	E	B	Q	T	Z	Z
T	X	M	O	M	V	N	N	T	E	E	B	U	B
J	L	I	P	W	A	O	I	G	E	B	C	H	D
N	W	N	Y	G	C	B	C	O	U	R	G	J	O
B	H	G	Y	E	A	P	K	O	N	I	F	P	F
G	B	C	N	E	T	C	E	M	E	G	I	S	C
Q	C	I	C	W	I	I	H	L	W	K	R	P	H
L	P	C	P	N	O	L	S	J	Z	M	L	I	E
V	V	A	T	W	N	Z	Y	I	D	P	R	R	E
D	C	S	J	F	S	J	D	J	C	F	Z	I	D
U	T	R	A	D	I	T	I	O	N	E	O	T	O

ST. NICK   FIR
PINECONE   REUNION
SLEIGH   SPIRIT
TOY   TRADITION
TRIMMING   VACATION
WINTER

18

W	J	J	I	P	W	Q	S	X	L	N	F	N	L
D	Z	D	C	I	S	T	V	L	N	I	A	X	L
W	C	B	F	H	W	C	W	R	J	V	B	X	K
B	E	C	C	G	I	I	J	Z	O	L	P	Y	Z
B	R	X	L	W	C	M	H	O	Y	T	I	L	K
F	E	M	I	P	Y	X	N	V	L	Y	E	B	W
V	M	I	S	B	P	U	C	E	M	L	D	S	M
R	O	N	T	E	O	U	P	H	Y	M	Y	Z	Q
G	N	C	X	N	W	U	A	Z	A	B	T	C	E
G	Y	E	Q	I	E	Y	R	F	P	R	Q	U	E
L	R	P	D	P	P	M	T	D	C	D	I	K	M
F	X	I	P	P	B	D	Y	H	Z	T	R	T	S
K	U	E	D	Y	F	P	O	M	M	P	X	B	Y
S	J	O	B	N	B	V	H	D	U	I	I	J	C

CEREMONY	CHARITY
CHIMNEY	JOLLY
JOY	LIST
MINCE PIE	NIPPY
PARTY	PIE

19

B	T	S	C	E	M	C	Z	E	C	G	H	Z	Y
A	I	P	O	Q	T	R	Y	K	W	J	S	H	E
W	Z	D	D	C	W	I	S	E	M	E	N	U	I
G	M	Y	U	C	K	Y	N	A	F	T	P	B	B
L	C	D	C	D	J	S	B	A	H	L	V	J	A
S	W	J	K	L	U	E	P	H	T	W	A	P	H
N	K	I	O	S	T	Z	X	P	H	O	N	I	T
O	N	U	S	A	N	F	P	P	L	N	N	N	S
W	X	F	K	H	S	O	O	Y	K	D	C	E	S
F	Y	S	D	H	D	G	W	B	K	E	C	T	A
A	F	R	S	L	E	D	V	M	B	R	U	R	O
L	O	Z	N	D	S	E	K	B	A	Z	T	E	K
L	K	C	K	W	Y	P	I	N	Q	N	A	E	B
A	A	J	S	C	S	H	O	P	P	I	N	G	M

PINE TREE   SHOPPING
SKATE   SLED
SNOWFALL   SNOWMAN
SOCKS   WISE MEN
WISH   WONDER

20

Christmas Word List

ANGEL	RED	STOCKING
GLITTER	RUDOLPH	TINSEL
LIGHTS	RULE	
PRESENTS	SACK	

21

N A V P C Y H D O R W H T Q L G G I U D
O W T G R K X H F V U S O F F X X P L P
A O R N A M E N T R H J L U P I L M I E
Q F H M K K B I Q Z Q W O R M G Z U T R
M A A Z R C F Y E R G Z E Y G X H C E X
W M F M V W K V N I S B G S A A I X K
C D I S I I C Y Y I E D L Y X E N Z C V
W R G S Y L K L L N Y M K M F D V L A P
Z L A J T S Y V T V A Q Q X E O I L P B
S I B N A L Q S B Q S Y T E S I Q K E I
H G F R B D E P S A K O R O G L D E M Y
X H Y V H E L T F F C D E Y J H V J Y V
F T P J T P R T O K S H X E C P Q O Y K
W S P D R S L R R E O P U W C C K G T M
J S F Y O Z K O I H O L L Y T D C A B N
U X I A M Q S Q D E T I J N T S V J F H
I L J W Z K D L J U S G V O J U P R E Y
H N O M C W E D T Y R J E D A Q O P A C
R B S R D A M M W U P J K G M V F K B P
U J T C L Y O M J I M J Q Q G O D R U E

Christmas Word List

CRANBERRIES	LIGHTS	REINDEER
ELVES	MISTLETOE	RUDOLPH
FAMILY	ORNAMENT	
HOLLY	PRESENTS	

22

```
K F W N X F P J R E Y D K W H L M P O C
K R U K F S F P D N X M W A O O A H O J
A Z V O W D Q B A B G A P T E Z D O Y E
F X X W B A K V Z I U Z R C H Z K O J R
H X R O B Z D N Z E Z Z H L D I C T L Z
U Y R J X U O Y C E C R R F E C E W X T
M B W W X J U J H H I O Q S H U O I C Q
Z N H F U U W G J S I H F T H O T N A O
S K K V K V I W T C A M N E R T N K Z M
M N E R U A S M J D Q F N C X E U L R O
N U E K X Y A Q W J K A K E K G Y E U A
A C R S M S X F R C C E W K Y T R X P V
P V T D A E F G C Y H L Q R Q R Q L S K
L J N N L Y K U D O G R M D F J J C T P
H J L C Y Q A N J J B S I X B Z F B A S
R B E O K C A H H F A Y A S M L C H R L
B C A C T C G Z I Q X L T N T I T C W E
U G S G W C V N V Y O Z W F T M Y Q F I
H Q S J F K X W N J Q D S P R A A S V G
K K L L J Y H K S B J C I Y Q E C S F H
```

Christmas Word List

CANDYCANE	COOKIES	TREE
CHIMNEY	SANTA	TWINKLE
CHRISTMAS	SLEIGH	
CHRISTMAS	STAR	

23

```
N O X E R U T U R K E Y E B M G P Y X A
K P S A N T A R P X W N Y D P X Y U D L
L N K X C G C N A M I J W M M C S D R E
M M J D S P R W V L V Q M V A G V N T S
G Q J K N C O E O G F J W F N D R U M N
Q I T B P L A R E H W Y I I C C Y B I I
Z D B R Y P A D Y T H U F S P O I F Q T
P T G Y U C S K X X I F F T R H O T W K
N B C K L H Z G O T U N E X E H S J D Q
Z L C H E Z I B N T X D G Q S H T D K O
A S Z B T X I A S I P R C S E J F K W E
T E O Q I D P N I W K D Y O N P H X B G
W P T J D N U F M H P C Q B T X J S N A
K E T P E T H N G Z M S O N S P V S Q S
V E F W A I A I I D B W F T X V G S B P
D D R G J K E Q X L J J R P S D L A Z A
B L M V V L X U Q M Q A T K A B Q D W D
R O E E S E V F N L N C A Z R K F K K J
N I G E C S K Q W B G C P G C B X A D Y
D P Z M K A R H S P K J B F A P Y F R X
```

Christmas Word List

CAROLINE   SLEIGH   TURKEY
GREETINGS   STOCKINGS   YULETIDE
PRESENTS   STUFFING
SANTA   TINSEL

24

```
M H T D D H C T J V X M M H Q K B U O F
C S M J H Z J Z Q Z I G I O I A I A L N
U G L N J Y K K O T C V S T A E F I Q P
X C C O S T N E S E R P T Q G H L P Q G
P S O H N F S U S V L O L A D Y A V V M
A P H O Q K E I T J K Z E R T Z I M E S
X H B E I F K K W C L X T T J N M S K S
P I F H M R M H F Q R H O L P C A L B O
K I M L X H Y D T D U A E Y J G G S S N
Y K Q D V V Z K A A K W C L D X Q G H R
L I Y M J W P U Y E E U O K N G V S E F
R M I F S D V F L M R R P C E S E T O K
R V I Z P U S M C H N B W P A R Z R C F
T D M P D K O U O A Z Z R M K L Y U X C
F R R P G Y S A M N M S T E I Z D L F S
A N E M D K N E M W X S Z L G U O H N V
M X Q E V C N N E Z I U L T P N K Z F F
I X B O A T Z R X R M W H I T S I R Z L
J V F L Y T I Z H U X T Q X I C J G F D
A U I G L M E C K S O X D D G V M X H Q
```

Christmas Word List

CHRISTMAS   NUT CRACKER   TREE
ELVES   ORNAMENT   WREATH
GINGERBREAD PRESENTS
MISTLETOE   SANTA

25

```
P P K U C G X Y J O I P O C B L C L D D
O G S Y A D I L O H L J T G V T T W D H
I F U P K B Y K S O K M B P Z Y J P N Z
L N Z I C K P G Y P H B V S B N F I H A
H L Z Z X T H H A P P Y I X W I U P S Q
S L E I G H A S L L E B T S G O N P D Z
W W Z H S N O W F L A K E W G G S F T A
O C B G R G Y V J F J U L G X N J P X S
I O I V E N K A H F O K A T E R B A H E
J F D C Z I E B G E S E G P A O Y O Y X
Z D L B A K U I N R W Z C R T L M R C S
V D G A Q C F C R V P A J E J N A V W V
U X H P H O J A C B K X T K J M Z W V U
A L U T C T X Q E L J L M N S C F N J Z
S G H M A S B C V Y W C O B A C A R H D
F I Z M X E J H L G P T L R V S V P B P
Z K L Y L J R W S N O A V K E T I B G B
G Z P Z G N H W Q O A J V L C A N D Y U
U N T U K E D O J O B W P S K U Z K C Y
U C U U X E S I M S R M O U Y P B D N X
```

Christmas Word List

BELLS	MARY	STOCKING
CANDY	SANTA	WREATH
HAPPY	SLEIGH	
HOLIDAYS	SNOWFLAKE	

26

```
V Z V A X S B Y D B T O N F B S H C G H
D I Z C K O T O K D R I F Q H B Z L N L
R G J P L S X S H U V V F H K P E D X Q
E K X F O O L V D B V T R E E D E P T B
I O E R N I T O P M O L W V F E L Q C O
N X F Z G A L D K H E C F X A D G D J T
D I F H R P Q C J Z P I E J X G N C G S
E F T Z H A X K M L O K Y W W J I W D C
E S P F G O A W M L H W X U R K J H R F
R D M N S S R G P T Z Z N X G J I C T H
Q J C A S C O N V Q L Z S H F P H P S L
M V A W Q B I Z A P V O L T F S P Y K W
E X T V O R B S Z M L U Y Q K Q M Y O J
P H B W B A R F T Y E B A M T O E N D U
D U N N N A T G W K D N S A Q Z S Y G G
V P Z P R D N J L G S R T R C G W O U U
K F I K O L A E H M D V Y X Q U G M J V
A T R B V B G F K Y W H W B N F M B M T
U R N G P I J K U M I F U I F L E Z T C
Y K P Q H C U K U D I V V W D S J C U U
```

Christmas Word List

BOW	LIGHTS	SNOW
ELF	ORNAMENT	TREE
FROSTY	REINDEER	
JINGLE	RUDOLPH	

```
R H P R E S E N T S M H D P C M U S M C
C A D O F R V J B K D A H R J P B J B F
X E M E Y B F V D U V Q X N I Z D I R U
Q Y R F N W U V U C O O K I E S K Q S I
R G D B C Y C T R P Z T M N O V K M T K
T J Q E S V M I L K R O F S I A I F W M
C Z K U C U K H O Q T Y X O K O J B L J
H X A M X O F D G X N O M E T A C N D J
R M I Z L D R V A H P C X A E A L T D O
I E V M L D N A E X Z J F O N F S C O I
S Q S N S C F V T J T O H D S F M C A L
T A K J R R N H S I S T Y K F G T Z Y G
M H B D I P O E D T O C W L M A L E N C
A O Q E V Y I Q C S A N M L M F M I F T
S I N P R C T J P N L F S T K B P I J B
Z D Q B H B A Z E G M V Q B D P N J L R
S H A Q O T C S I G H K E Q O L P Y N Y
G Z Y I N Z A K L M E O J H I G U Y R I
F I I L J P V I Y A P Q S N F Z U O C H
J R I W E G B Q S X J U O X U U X Q Q R
```

Christmas Word List

CANDY CANES FAMILY   SHOPPING
CHRISTMAS   FRIENDS   VACATION
COOKIES   MILK
DECORATIONS PRESENTS

```
F M J G P G O H W R E A T H D G M C O I
M I N H P F J X I L E O H X B S P D B C
X W G V U C X P V G T B M T J G U H I A
H C Z U T D L W V R A D N P V N G L D F
F B E Z R I V Y Z C X C X H G O P Y V I
G J M E Z I S A W S V B P J A S C J T I
N H L O R Y N R E N A P Y Q R M Q T C A
V S G P M T Z E O C U J U G L I A X T D
F Y X Y M X V P A J V O Y I A R M N G H
H K B R L R G N U F H Q A S N H A V N F
Z X L W Y E R H D E E T Z D D S M D O K
D N P E N N J S M L C L W U H R H J U
G C P F U Y D T V F D H N T A R Y N P V
G C B D O O O O E Q N L C T G K T R X N
Y Z G Y N C P I D C A I G H E W A Y R B
K W S X K C Q Y A I C K V G M H E W J E
A Y K L E V F P R J K D A N I O C K I Y
G E N M O V I E S E R L D P F N W F X X
S E K V O Q P T A K Z C Q X U V Y X A T
R X U X E N L R D C F T R I G E X J L K
```

Christmas Word List

CANDLE	MOVIES	TREE
FIGURINE	SANTA	WREATH
FUN	SONGS	
GARLAND	STOCKLNER	

29

```
E D D E G X C U E D R V Z F O U R M D J
X X A D V Z M O W X Z V S P R I B B O N
B V O W K J T S P G S L F S B E P F J B
D M Z R B E R X T L L X E E Y L Y C J U
W B N Y L Q L J I E L N A G F K T I J G
H D Z T B I X I B A O L P C O G N J Q T
I K S A I Y C V Q C W W R S X M S A G L
W I S H B I J Y E E E L E N B B Z X U Q
M U T S G K P N Y R X S Q J I L W F C T
C N X R J I I A H Z Z S D G W Z B V R W
P U R I X P Z O R N A M E N T K O P F I
C K V J R S J U N G D G R W R U V R G N
R J M O N Y K L A E X Y K V K K E O V K
F M E C Y Q L R E K C A R C T U N A D L
I L I T H I E R T G F P U C M D D H Z I
F E S W G A S B M P F C V H R G V P L N
B K A H Y E N V W T I C S N S O D S N G
X Z T X J V I O N W C Z U Z W J D L M P
R S D L P O T K R X G R Z X V H B T Z B
L C S A D E W G Q I B D I M A J O L J N
```

Christmas Word List

BELLS   NUTCRACKER   TINSEL
ELF   ORNAMENT   TWINKLING
LIGHTS   PINECONE
MISTLETOE   RIBBON

30

```
M A R Y B R C S A H A V R H H U R S F L
Y R J A S Q P N E T L T M M N E G Y W W
P M V F Z C F G O O S E H D R G Z R A E
Y Z J G J L J J K K H V I S N O A P Y Z
M I O R C A Z L H F C C E P S P G S O F
J Q W W O A U Z Q J N J P G N J T W W X
J I X C Z N Q A K Q C G V Y J H Z D T D
Q B S S H I D Z F I E P J V U A H F C C
U B U A L L F Z R J L N Z Z N Y C T Z W
T U M U L H R F G I N G E R B R E A D S
L J O D E I U F H E C M A G U A H B V K
K O R C Q V I J L X Z X M J C S D B J Q
S D A J G V T D L P R R R Z T T O O O A
D E M R K G C Z Q M D O L N U R E J G X
P Z A E L O A T Z G A G E D K H B B J H
P V L J E R K Y X D C S A L E Z I L T B
Y O N D D E E S C G E V P G F B V R E U
P R V G W K W P P R P O D C N I O Z E L
R I I A D X R U P S F U K P B N H B J T
D D M A B Q H U D T F P M I L Z H O B S
```

Christmas Word List

FRUITCAKE
FUDGE
GINGERBREAD
GOOSE
GRAVY

HAM
NORTH
PEACE
POLE
PRESENTS

31

```
Y P L I G H T S V Z B W Q F H F L T N N
T Y P F Z A U F O Q X B O B H G T E E A
U J V H J P S T O C K I N G K P S B E H
G Z L D X D I H X V X K M M O D L Q R Q
W M A W R A F H I S B A B K Y D I H U V
L W E T G N L R T W A J G T Z E L C W B
Q K M L X E U N W A V V R P R P J L I Q
O O M L J O Z S S J E P H E E K J T E T
Z B X M W Q L C U O M R W B E Y M N H B
Y V T K C Q H E X F G B W B I G I D L Y
C W C T S I P X R O U L U O I B V P K A
H U P S M L U M R N Y N Q M T S M S P K
X F Z N R Z S N J N A Y R W D F G B A S
D N E U S W A P B X X Z Y R W T C S L F
Y Y T Z I M M A N I C P A P C C K O T I
L W Q E E H A T G O W C B D Q R I C Q T
Y U L N E G P D N U F I R E P L A C E E
D X T U E U L Q B J I V S L E I G H V O
E S O B N F F A P E H P R E S E N T S O
Q C B U Z K L O D T J S U A U C E G F D
```

Christmas Word List

BELL   ORNAMENTS
CARDS   PRESENTS
CHIMNEY   SLEIGH
FIREPLACE   STOCKING
LIGHTS   WREATH

32

```
L W K S N V B K X K H W G Z P S I N D F
E Q Q X E T O N R O Y G G L E T S R Y K
Q S O I Y K A V A Z B N C O V U G H C H
U V Q D F F U E S B M D T T O F C S C Z
A N Y W V W I W M Z Y A X I C F K K P M
E Y D S C U F K R E T E T V C I J C I E
H M K W O Q C T C O C P Q R S N T A E I
A D A C G L U N P A M N P B M G D K E L
D P Y W N R U T G U I X I O K J X U R Y
W U X L K I E E R P K L M M R Y S Q C J
F R P E K E O C M Y U K H R I A H W O N
H W Y Q W K S W L R D M E N C B N U Z Y
O O H S O T M G M D C E P P P X V G O Q
K B T K J F R K N G D A F K V J U W E P
E W W G Z M C X V N O Q G Y I U Q K J S
W R Y P O R N D I O I P Y G M N Y F H P
S T T F B I C E U S V K A N B X P J O M
J P A R C V R L N N Y Y D P A G H I I W
X I R V S T U N A P F E A T E O V G E T
C S S U G A R P L U M S Z N T C Z N I G
```

Christmas Word List

MINCEMEAT
NUTS
ORANGES
PUMPKIN PIE
REINDEER

SCRUMPTIOUS
STUFFING
SUGARPLUMS
SWEET POTATOES
TURKEY

33

```
E V N A P D I W S K H N Z I X K N H I F
C B K A J O K S Y W O H W X V Y C X J P
D J S Q H J Z F I B Z N W S K F X P N H
E C C I E Z G L B W O E H I V N L L I G
R Q K O M Z J I C S Q X R X R E T N I W
L H N F R V R R Z T O I D B A P D J E S
I T V A J V E C M E O K Y K C Y V P A F
P R T F I W L N E J I Q Q O J U I D L N
E S V U C H I L L Y R Z Q O T G E T N Y
N M J D A Q M Q E A K H Y S V K B P G Z
G Y T Q H D D K E G H O O E Y L J I H U
U H L W L G A B F D U C Y L D L K Y X R
I E V R K L R N G W N C S O L Y S T O K
N P H Q F A H A H H S V D C B Y H S S Y
L D Q W L Y B M B I R F W E S T O I D F
A S O O N Q T W H T H G M E Q O D Q I S
T N P F V V N O O E I D M J O T S O F C
S P E K G P Y N X A W J K O Y R U T E H
Q J Q J N O R S E S E Q U T L W Q C K I
W S T S B P D U A J M Q Y P Z G D E Q U
```

Christmas Word List

CHILLY	SNOWFLAKE
HOLLY	SNOWMAN
PENGUIN	STAR
POLAR BEAR	WHITE
RIBBON	WINTER

34

```
P C T S O F W C J B H S P W F G P T S R
U D B H Y I I F L Z Y F R C R X C V S N
H S V Y E R D Q U C Y H L N O O I Z G Z
F O A Q N E J M F B U H H M S S M Y I M
K I U G M P Q X W V T X O C T A V W F F
D R V X I L L O A R O A S T B E E F N J
V N C P H A V W D P Z X W C W T G S C R
M E M E C C A M U O F A E S I A E B G B
G T D U B E H I Z C Q O M T B E E X Z M
Y A M P D V K V V K P J Q N A L N N B Z
T N U U N H B R X K A C V N W R H K S N
O R S O O O E H C N I R G C K O G A S D
S E T M K H C P N N A H O Q R E A I X B
O B R R V G A G O S J P M A P U Q S M N
X I T C W O B F V I Z T V H Z M E L I C
L H K V N G K L R K Q J S S L O F W S N
E E P F U W H O T C H O C O L A T E A U
N V F Q H E C B F L M W N J C M T U N H
M Q N Z M C C V E L L I V O H W D B I H
V M H D E J P Y W O M J X Q A Y A D I E
```

Christmas Word List

AWFUL
CHIMNEY
FIREPLACE
FROST
GRINCH

HIBERNATE
HOT CHOCOLATE
MIGRATE
ROAST BEEF
WHOVILLE

35

```
S N O I T A R O C E D E O Q N Y W U Z L
X B R R H C Y L W W S Y O V C A S Y V I
Y C W A R X V J J I S O W S O W F W U U
M O G Q Z W S P R T W P I E P D G F T Q
T X Y J B X Y P H N R D I I L A J S H Z
D U G T C J R G X E C O F K T K Z J N D
W J X U R U I C S O L C S O O S P X W S
L Q M S S F H E F B E H D O I R G R E M
D E I V D Z N Q T R E E P C J Y E N I N
V B G C R T F U F H L Q I E M A G E R G
U N I W S C C H K T D J R X T N R N F C
W O V I V J H U O U Q S L H E U W O X G
E R S L G J G R O L F K Q Y L A R V M K
L N Z X G C B C I X I R O G A X H B P W
K A U G E E X R D S I D E U O E L J D M
U M U P J O L D A F T Y A L N M L L L N
F E X T F J A X R Y J M M Y Q C W E A G
M N R B L D U P O L B P A X M J T C A I
I T D V V W G Z B K X U C S S S D G X C
U S Z D F G X S E M Q K Q W Q S Z N Q N
```

Christmas Word List

CHRISTMAS   ORNAMENTS
COOKIES   PRESENTS
DECORATIONS   SURPRISE
FIGHTS   TREE
HOLIDAY   WREATH

```
Y H E Q N U L N O L G O F M A T U C D L
R C L D T K U J P Y G U Z R J Z O E Z S
N P B X Z N B A O R R H Y I N T F Y N V
G P Z G N B H I M G E Q D W H Q U T D M
W Z X R Z T O A Y N R S G J K F E C P L
D D L V K H J W Z L A W E F K F A T A S
K Q O I C V C J S O O N N N P H S R J T
C B U W Z Y S U H Q J P C Q T N R A G M
P B I K G X E A B M Y G Y P L S Y E A E
P P G P P X P P W Z N M Y T G N Y H I Q
M D J U P W R X K I P B C I N D Y I O U
O T T S A E F C S X E P Q D Q T B W D I
K U W E S E I F D H U N U C A R O L S I
R M O Y X R N V G P X C A V J Y N O Y B
E H R E T Z E K M M L S Y G X V C T M F
V X S J L F S F I H T V H O N E E E L C
U W K I L Y N U Q T A S V C L Z K H M B
P H Z Z E F U W I B K D V N A E Z I H W
R O V Y C Z R G E O Z Z G M E R R Y C H
V I C S J W O X X U L I L L D D R F I V
```

Christmas Word List

BOWS	MERRY
CAROLS	PRESENTS
CINDY IOU	SING
FEAST	TRICK
HEART	WHO

```
P O I K I W E S S E H A L N M L T Z H J
L H J H P U J K V P K F S D U T M C I E
A E O C S X K S X Z O Q I M H Y H V I C
Y Q B M V R T Q T G H D U P A M M C M E
H A S I V N Z V G W P M T M B R H F G V
K D D Q Z C E D H P L Z W R T M K X Y Z
Z M R K C V Z I O N L E U H S S C J L A
E G P W I B X N P K Y C G I J X N F O L
O U F T D N S S E O G Q G N B L Z P P B
J H S G L L D J K I H X R X A U Q G V G
E E T B Y I U T O D L I E L E J U V N C
F Y P N S S G F E L A D E S J J R D F T
T Q K E Y Y B O Y G L Y T J I N G L E F
O K G L A D V E R O M Y I O S T H G I L
U G D O D U T R L I J E N L R X R F K U
J M Z T Q Z D U X L F P G W W Z A L Y N
N C K O K G D U F M S M S C I L I Q V E
Z K R W J U K G Z Y G V I O H H Z K V W
O F H I T B R K S K P Y Q V U V J I W V
S V E F A O N V X T C X G Y Z D K N W V
```

Christmas Word List

ANGEL   HOPE
BELLS   JINGLE
FESTIVE   JOLLY
GLAD   JOYFUL
GREETINGS   LIGHTS

38

```
K K W Z R U C M C S B G U E F H X I W D
S S T H Y Q A R W P P I C K N M U H N E
D N S B P C R E G Z M J H K I J S U I S
I H Q E W W O K I D I Q D K E B V C E S
N K I H Z D L G V G E T D U L C Y L P E
G C K P I V S W X C Q U O T C F O U Y L
D F W V E J D T A R S J J H A A V M A B
O I A V V I N E W T E W N R R Y C X H Z
N Y T M T B P O O S Y J U Z I I N K L Z
G N O P I J J S X J O E O M M E P C U V
D N K Z P L L D E F Y E C I R V N S Y K
S V F W L D Y Z U Z C Q L D C L G R A M
N R V S J E M U S I C F L D G E H W W Q
K I W Z D J D T K H Y I V R J S F D U C
E C Z N T Y R I J L H L I D R L Z E R M
Z K K K V O I Q V C U F F F P R P T H Q
U M E J F I P Q T J N F H R L P Z J E E
P D O M X E O X V N D N D Z B P F Q H M
P H O H T V O W N H X E N B P R K A E V
T C T S I L I Y Z P B H L H Z R S B T X
```

Christmas Word List

BLESSED   FAMILY
CAROLS   MIRACLE
CHILDREN   MUSIC
COMFORT   PEACE
DING DONG   REJOICE

39

```
Y F F Y E Q S Y P U P Z P J C N W C X B
A G V U Z Z V X U H S I X W N M U T M M
L M B K I S A D J L V D N P R D Q Z R M
Z D P N P C T K C L O F N E Q M P X P N
H V V B F A E G K Y Y R X Z T I X P B H
M N E N G G U S Z B O I T H V R V U R R
P A T R I V X O K Y Q G L Y T O E W M P
H A T V V H C J I A N H F U M A K E D J
S P Q K I W U P A I T W D V F Y E Z B S
Z T K R N Y I W G P E E X C D K L H P K
I C E J G I S N O W B A L L V L N L D F
J U Z T B Y I L H O L I D A Y S Y A L Y
Q P W L D S S T J M J G N I N I H S H D
K N Z Y E C A L P E R I F A N I R J O T
O P J R U V U I C Y V V S X P J R J L X
B N F I O K X L C N L X Q P H S J T O X
C Y W V A G S M R M B I P A T W C G H W
C F U D A W X L T J V Z Q O G J P J L U
O H D D M L P U G K Y P O R I I J N V K
L O C V Q W E X N O M B K E X G K Z B C
```

Christmas Word List

BOOTS
FIREPLACE
GIVING
HOLIDAYS
ICE SKATE

PINETREE
SHINING
SINGING
SNOWBALL
THANKFUL

40

B	N	I	C	E	N	E	C	R	E	E	D	H	L	R
H	E	U	C	H	A	R	I	S	T	B	W	R	I	P
C	C	N	H	A	K	M	B	Y	V	Z	T	J	G	S
Y	H	R	Y	N	T	N	O	I	G	I	L	E	R	H
W	R	R	U	I	A	H	J	Y	R	R	F	C	W	F
M	I	J	I	H	N	I	O	U	V	A	U	Q	M	B
B	S	X	K	S	C	C	T	L	D	X	W	T	Z	F
Z	T	T	L	V	T	O	A	S	I	A	J	T	I	D
F	O	F	K	M	O	E	I	R	I	C	I	R	E	L
J	L	W	G	P	S	L	N	Q	N	R	I	S	K	K
V	O	C	B	B	A	I	V	D	P	A	H	S	M	X
X	G	D	E	C	Z	C	T	J	O	B	T	C	M	D
F	Y	W	N	E	U	R	O	P	E	M	N	I	Z	G
U	G	J	M	S	U	S	E	J	A	A	T	V	O	D
F	F	I	A	H	W	O	X	X	D	B	F	X	O	N

BAPTISM	CHURCH	JUDAISM
CATHOLICISM	EUCHARIST	LITURGY
CHRISTENDOM	EUROPE	NICENE CREED
CHRISTIAN	INCARNATION	RELIGION
CHRISTOLOGY	JESUS	

41

N	L	M	O	L	D	T	E	S	T	A	M	E	N	T
E	C	Z	I	T	U	A	G	F	L	V	F	X	P	E
W	A	G	N	O	S	T	I	C	I	S	M	E	K	R
T	H	V	P	I	E	I	H	E	J	A	T	N	Y	M
E	G	F	N	S	V	L	R	E	B	E	F	S	Y	H
S	Q	L	B	U	O	P	B	H	R	D	W	O	P	Y
T	O	I	Z	A	N	G	L	I	C	A	N	I	S	M
A	Y	L	X	O	E	E	I	Q	B	W	N	N	S	L
M	Y	M	S	I	D	O	H	T	E	M	E	V	Y	H
E	V	A	N	G	E	L	I	C	A	L	K	G	E	X
N	S	N	A	C	I	L	G	N	A	P	T	A	Y	J
T	C	T	X	S	A	C	I	R	E	M	A	Z	S	P
M	S	I	N	A	R	E	H	T	U	L	C	Q	Q	M
E	Q	B	O	I	M	O	N	O	T	H	E	I	S	M
U	J	T	N	E	M	G	D	U	J	T	S	A	L	F

AMERICAS
ANGLICAN
ANGLICANISM
BIBLE
CHRIST
EVANGELICAL

GNOSTICISM
JEWISH
LAST JUDGMENT
LUTHERAN
LUTHERANISM
METHODISM

MONOTHEISM
NEW TESTAMENT
OLD TESTAMENT

42

G	N	I	H	S	A	D	U	B	Y	C	N	A	F	M
B	Z	I	A	R	P	M	J	D	R	U	L	H	U	H
S	R	L	C	T	B	E	A	U	T	I	F	U	L	F
Z	F	E	Y	A	G	A	A	Z	U	E	S	M	K	A
S	O	C	A	A	N	G	E	L	I	C	R	K	S	N
J	U	E	A	T	J	D	F	X	P	N	V	P	W	T
Y	N	O	V	R	H	C	L	A	C	N	G	D	Q	A
I	Q	M	L	I	O	T	L	E	I	I	M	A	F	S
L	W	E	F	U	T	L	A	U	L	T	T	F	Y	T
M	M	X	X	N	B	A	I	K	F	I	H	I	C	I
G	J	B	D	A	C	A	R	N	I	S	T	F	N	C
M	E	U	R	Y	P	Y	F	O	G	N	S	W	U	G
X	G	N	I	L	Z	Z	A	D	C	I	G	I	V	L
F	E	L	B	A	Y	O	J	N	E	E	K	A	L	C
H	P	O	E	V	I	T	C	A	W	J	D	D	I	B

ACTIVE
AMAZING
ANGELIC
BEAUTIFUL
BLISSFUL
BREATHTAKING
BRISK

CANDLELIT
CAROLING
COZY
DASHING
DAZZLING
DECORATIVE
ENJOYABLE

EXCITING
FABULOUS
FAITHFUL
FANCY
FANTASTIC

43

```
H  M  Y  S  T  I  C  A  L  S  Q  V  K  W  Q
I  C  L  S  U  O  L  U  C  A  R  I  M  B  T
J  N  L  U  F  E  P  O  H  E  P  K  P  B  Q
W  P  T  M  F  S  N  L  V  A  H  B  W  K  E
G  J  N  E  N  Y  U  N  J  E  P  E  I  H  O
C  R  K  E  R  N  O  O  H  G  L  P  C  Q  X
F  K  A  W  D  E  E  J  R  S  U  Y  Y  I  Q
Z  A  X  C  I  L  S  E  M  E  I  C  A  D  N
B  Y  P  P  I  N  O  T  R  E  N  V  V  C  J
Z  L  F  Y  L  O  H  G  I  G  R  E  A  T  U
J  A  C  C  L  Z  U  A  N  N  K  R  G  L  G
E  V  Q  O  M  L  T  S  Q  I  G  V  Y  F  S
B  E  P  Y  Y  U  O  Y  I  V  V  U  F  A  Y
X  O  B  B  B  F  E  J  M  A  G  I  C  A  L
I  X  T  O  T  N  E  C  I  F  I  N  G  A  M
```

GENEROUS	HOPEFUL	MAGNIFICENT
GIVING	ICY	MERRY
GOLDEN	INTERESTING	MIRACULOUS
GRACIOUS	JOLLY	MYSTICAL
GREAT	JOYFUL	NICE
GREEN	LAVISH	NIPPY
HAPPY	LOVELY	
HOLY	MAGICAL	

44

B	V	G	U	W	J	W	P	D	C	H	S	F	Y	P
F	L	F	P	R	L	Y	L	D	E	Z	P	O	Q	W
T	T	U	G	M	R	A	W	F	E	R	E	F	A	A
L	E	T	F	R	S	G	N	R	X	K	C	Z	Q	R
L	U	R	N	E	B	U	N	I	K	M	I	A	G	M
E	A	F	R	A	C	L	O	I	G	K	A	P	S	H
S	L	N	H	I	H	A	A	I	X	I	L	W	S	E
W	J	B	O	S	F	P	E	U	G	A	R	G	C	A
W	X	O	A	S	I	I	M	P	T	I	L	O	I	R
O	L	G	C	K	A	W	C	U	A	I	L	E	X	T
N	N	Z	N	K	R	E	O	L	I	F	R	E	R	E
K	H	M	B	Y	Q	A	S	Q	D	R	E	I	R	D
A	T	C	I	L	O	B	M	Y	S	E	T	T	P	S
J	W	E	T	I	H	W	D	E	T	I	R	I	P	S
S	P	A	R	K	L	I	N	G	R	S	N	O	W	Y

ORIGINAL	SNOWY	TRIUMPHANT
PEACEFUL	SPARKLING	WARM
RED	SPECIAL	WARMHEARTED
RELAXING	SPIKED	WHITE
RELIGIOUS	SPIRITED	WISHFUL
REMARKABLE	SPIRITUAL	
SACRED	SYMBOLIC	
SEASONAL	TERRIFIC	

45

B	G	Y	S	T	F	F	A	H	V	K	Z	Z	C	D
A	Q	N	T	Y	D	Z	I	E	T	D	N	S	Y	F
B	P	O	O	N	J	I	L	A	X	R	O	Y	O	C
Y	E	P	T	I	E	D	R	A	Z	Z	I	L	B	B
G	P	L	R	N	T	V	S	U	J	E	Z	B	U	A
M	K	M	L	E	E	A	D	P	S	Z	T	E	E	B
V	F	N	E	S	C	M	P	A	M	O	R	A	W	E
Q	Y	D	X	G	G	I	E	I	N	Y	K	U	D	T
I	N	M	L	W	B	N	A	C	C	G	U	T	A	H
R	L	Z	F	F	A	A	I	T	N	I	E	Y	R	L
U	V	Q	I	E	K	O	L	S	I	U	T	L	G	E
O	N	E	Z	T	I	L	B	S	S	O	O	N	J	H
X	U	G	D	D	N	L	O	S	A	E	N	N	A	E
F	S	I	S	O	G	P	E	W	T	M	L	E	N	M
G	N	I	G	N	O	L	E	B	U	T	U	B	Y	A

ADVENT
ANGEL
ANNOUNCEMENT
ANTICIPATION
APPRECIATION
AROMA
AWE

BABY
BAKING
BALSAM
BEAUTY
BELIEF
BELLS
BELONGING

BETHLEHEM
BIRTH
BLESSING
BLITZEN
BLIZZARD

46

H	N	S	E	K	C	E	L	E	B	R	A	T	E	G
L	S	V	X	T	Z	M	N	C	C	O	Z	X	I	A
R	Z	T	B	L	H	L	P	A	C	A	R	O	L	S
E	H	Y	O	B	E	G	Y	N	C	A	R	I	N	G
Z	P	K	X	O	K	O	I	D	C	Y	D	O	C	P
J	J	X	D	X	B	S	N	L	N	B	D	L	L	Y
P	C	Z	B	I	D	R	R	E	E	A	M	N	M	J
F	U	B	H	N	Y	V	S	E	D	L	C	G	A	L
V	M	D	U	G	F	R	T	V	L	E	D	E	G	C
F	C	C	E	D	A	R	E	Q	H	O	H	N	R	G
T	H	Y	Y	A	R	J	J	T	O	K	R	C	A	Z
H	T	B	W	Y	N	A	R	G	S	W	D	A	U	C
G	N	I	L	O	R	A	C	H	G	U	O	B	C	B
K	G	S	A	F	K	E	P	S	R	Q	L	B	U	H
V	W	G	X	Q	L	T	T	E	F	F	U	B	R	W

BLUSTERY
BOOTS
BOUGH
BOW
BOX
BOXING DAY
BUCHE DE NOEL
BUFFET

CANDLE
CANDLE LIGHT
CANDY
CANDY CANE
CAP
CARD
CARING
CAROL

CAROLERS
CAROLING
CAROLS
CEDAR
CELEBRATE

47

O	D	Q	O	Z	A	K	U	O	W	I	K	R	T	Q
E	A	F	E	N	Y	D	I	I	K	H	Q	I	I	I
M	R	T	C	I	G	N	E	R	D	L	I	H	C	G
T	Y	D	E	H	K	H	O	P	T	L	L	Q	H	P
Z	N	W	L	T	A	O	C	M	T	J	C	I	R	J
S	F	J	E	K	A	R	O	R	E	E	H	C	H	X
W	B	E	B	N	D	L	I	C	U	R	M	P	N	C
R	G	N	R	T	Z	R	O	T	U	H	E	O	X	Z
E	E	I	A	E	C	X	A	C	Y	O	C	C	C	G
X	B	D	T	G	W	O	J	C	O	C	L	H	M	S
C	H	R	I	S	T	M	A	S	L	H	K	I	J	H
F	J	Y	O	C	E	M	B	L	N	O	C	M	D	E
S	T	U	N	T	S	E	H	C	G	M	V	N	G	J
I	L	U	I	H	C	O	M	F	O	R	T	E	Z	V
K	X	Q	P	C	O	M	M	U	N	I	T	Y	S	B

CARD
CELEBRATION
CEREMONY
CHARITY
CHEER
CHESTNUTS
CHILDREN

CHILL
CHIMNEY
CHOCOLATE
CHRISTMAS
CHURCH
CIDER
CLOVES

COAL
COMET
COMFORT
COMMUNITY
COOKIE

48

```
Z  P  A  C  R  A  N  B  E  R  R  I  E  S  E
S  B  S  S  H  E  Y  G  D  R  E  A  M  B  D
H  L  C  D  C  N  A  D  F  J  N  T  R  R
U  M  L  G  W  A  E  N  L  O  H  I  N  K  E
D  E  G  O  I  O  I  I  A  P  Z  L  F  O  I
R  L  D  M  D  H  R  P  K  D  S  X  Z  V  D
E  D  M  Z  I  A  A  C  O  O  K  I  N  G  E
S  O  G  N  I  T  N  U  O  C  O  P  D  Y  L
S  N  E  T  A  R  O  C  E  D  U  C  H  I  L
I  A  V  R  O  D  Z  C  I  S  Y  N  W  L  F
N  T  O  Y  U  Q  A  L  A  N  T  L  R  L  P
G  I  R  V  U  C  H  S  H  Z  G  L  E  O  G
K  O  H  U  W  L  N  O  H  T  U  S  U  V  C
H  N  G  S  I  R  E  B  M  E  C  E  D  T  Z
O  S  J  Y  S  N  O  I  T  A  R  O  C  E  D
```

COOKIE	DANCING	DONATIONS
COOKING	DASHER	DONNER
CORNUCOPIA	DECEMBER	DREAM
COUNTING	DECORATE	DREIDEL
CRANBERRIES	DECORATIONS	DRESSING
CROWDS	DISPLAY	
DANCER	DOLLS	

49

H	I	Y	H	H	O	N	N	N	F	E	L	B	D	K
S	T	H	W	Y	E	B	Z	V	Y	L	I	M	A	F
G	G	H	N	C	M	X	K	L	T	V	E	V	E	E
A	N	V	T	R	B	H	O	O	J	E	W	V	Y	N
K	E	I	W	I	R	D	P	O	M	S	G	I	B	U
Y	X	T	T	H	A	L	E	W	M	Z	P	B	W	K
C	P	E	R	A	C	F	H	G	N	C	S	Y	F	R
N	E	P	N	O	E	M	M	A	N	U	E	L	C	G
J	C	I	L	T	F	G	Q	A	R	A	O	K	K	U
S	T	P	V	I	E	F	G	B	E	H	H	H	B	N
Z	A	H	G	V	A	R	E	N	X	O	Y	C	Q	I
W	T	A	D	H	Q	M	T	Y	O	L	U	S	X	O
P	I	N	P	G	R	I	E	A	W	G	O	G	Q	E
N	O	Y	U	F	R	A	I	L	I	M	A	F	L	Q
K	N	E	V	E	R	G	R	E	E	N	Y	X	V	R

EATING

EFFORT

EGGNOG

ELF

ELVES

EMAIL

EMBRACE

EMMANUEL

ENTERTAIN

EPIPHANY

EVE

EVERGREEN

EXCHANGE

EXPECTATION

FAITH

FAMILIAR

FAMILY

50

```
Q O X K I T S A E F P I W W O
F F L A T B R E A D Q K U O A
D R F D L T D O O W E R I F A
L A U I P A A X V R J C M T G
G N D I R L G K M R T V O A M
A K X I T E A R S O E L S R C
T I N E V C P V E D D F I H I
H N B D Z A A L I H N E B T Z
E C W F S V N K A T T E E S U
R E O Z R Y W Z E C S A I R M
I N I E F E S T I V E E G R F
N S Y T S O R F R L B B F R F
G E I Q P I H S D N E I R F B
K S S E N E V I G R O F M X Z
U X H Y G B L Q D N A L R A G
```

FEAST
FELIZ NAVIDAD
FERVOR
FESTIVAL
FESTIVE
FIREPLACE
FIREWOOD

FLATBREAD
FORGIVENESS
FRANKINCENSE
FREEDOM
FRIENDS
FRIENDSHIP
FROSTY

FRUITCAKE
GALA
GARLAND
GATHER
GATHERING

51

M	G	R	A	T	I	T	U	D	E	C	A	R	G	L
P	U	G	I	F	T	L	I	S	T	Q	E	X	J	Y
T	E	G	E	D	T	R	L	L	I	W	D	O	O	G
G	Z	G	I	N	G	E	R	B	R	E	A	D	Z	C
I	E	L	N	F	E	L	M	Z	U	S	M	M	Q	J
V	K	N	M	A	T	R	S	R	S	P	K	Z	F	K
E	T	A	E	J	H	G	A	T	U	V	H	R	G	C
M	V	X	O	R	N	C	I	T	T	O	G	O	L	D
Y	Y	A	O	T	O	W	X	V	I	V	G	Z	I	O
A	E	S	V	B	M	S	X	E	I	O	P	U	T	G
P	I	O	P	V	T	F	I	G	T	N	N	X	T	W
Y	T	R	T	G	U	F	H	T	A	F	G	S	E	X
E	S	O	O	G	X	N	I	X	Y	Y	I	Z	R	I
M	W	T	F	L	L	G	M	G	U	R	M	G	H	W
B	M	K	U	S	G	N	I	D	I	T	D	A	L	G

GENERATIONS
GENEROSITY
GIFT
GIFT BOX
GIFT EXCHANGE
GIFT LIST
GIFTGIVING

GINGERBREAD
GIVE
GLAD TIDINGS
GLITTER
GLORIA
GOLD
GOODWILL

GOOSE
GOURMET
GRACE
GRATITUDE

52

T	W	Z	G	J	G	S	E	L	N	A	Z	O	E	R
I	S	N	P	P	Z	M	G	E	K	E	W	X	I	U
Y	H	E	H	A	M	A	H	G	T	L	V	D	C	D
G	R	A	V	Y	V	D	N	A	L	T	R	A	E	H
W	M	E	C	R	O	P	W	C	G	U	M	Y	E	R
S	B	Q	N	Y	A	D	I	L	O	H	V	D	L	H
T	G	M	E	E	X	H	A	R	D	S	A	U	C	E
X	V	N	F	I	E	H	A	K	K	U	N	A	H	R
U	A	B	I	L	S	R	Y	P	R	X	G	K	K	I
H	P	H	T	T	I	N	G	Q	P	I	X	P	Q	T
P	N	E	C	S	E	H	E	B	I	I	X	D	E	A
C	B	A	E	N	E	E	X	E	L	N	N	M	Q	G
A	B	R	B	R	I	U	R	R	R	C	P	E	S	E
U	N	T	P	U	O	R	G	G	U	G	R	J	S	Q
E	V	S	D	N	A	H	G	N	I	D	L	O	H	S

GRAVY
GREEN
GREENERY
GREENS
GREETINGS
GRINCH
GROUP

GUEST
HAM
HANUKKAH
HAPPINESS
HARD SAUCE
HARVEST
HEART

HEARTLAND
HEAVEN
HERITAGE
HOLDING HANDS
HOLIDAY

53

V	E	N	X	R	E	D	I	C	T	O	H	X	M	Y
Q	N	M	O	B	O	H	B	C	R	N	U	P	K	Q
K	E	S	W	I	J	N	O	D	I	M	G	N	O	H
I	N	F	A	N	T	C	O	M	Z	C	X	G	N	U
D	N	Q	I	M	S	A	S	H	E	L	L	P	X	M
P	R	N	I	Q	M	P	N	S	O	P	T	E	O	I
Q	Z	A	O	C	Y	N	N	I	E	L	O	K	C	L
T	Y	H	W	C	E	O	H	Y	M	N	L	H	Q	I
Z	S	M	S	E	E	S	C	U	R	U	I	Y	F	T
Z	Z	O	H	S	M	N	K	U	R	S	L	L	Z	Y
C	I	O	H	A	E	O	C	A	W	I	A	L	O	C
Z	L	N	E	Q	Q	T	H	E	T	T	X	C	I	H
B	N	W	S	Z	R	F	S	Y	L	E	H	M	V	D
I	N	V	I	T	A	T	I	O	N	S	S	Z	Y	O
K	X	E	T	A	L	O	C	O	H	C	T	O	H	T

HOLINESS	HOT CHOCOLATE	ILLUMINATION
HOLLY	HOT CIDER	INFANT
HOME	HUG	INN
HOMEWARD	HUMILITY	INNOCENCE
HONOR	HYMN	INVITATION
HOPE	ICE	IVY
HOST	ICE SKATES	
HOSTESS	ICICLE	

54

```
P  Z  K  O  L  J  H  B  E  U  P  V  N  X  U
V  G  G  Q  Q  I  T  P  J  I  Z  S  Y  E  H
L  B  I  B  L  R  G  R  E  T  H  G  U  A  L
P  U  V  M  R  I  Z  H  F  S  W  K  E  Y  K
G  D  C  C  V  K  T  J  T  J  O  L  L  Y  A
B  Y  F  D  D  J  N  E  X  I  R  J  O  X  R
Q  Y  L  V  I  B  M  S  H  N  N  Z  J  R  N
N  G  O  L  L  Y  J  U  N  G  Z  G  I  Z  D
J  R  V  J  E  R  U  S  A  L  E  M  O  I  X
H  Z  E  K  D  J  J  C  W  E  V  B  Q  V  L
K  I  J  T  O  T  B  H  C  B  Y  Y  M  V  I
S  N  R  C  N  X  S  R  Y  E  N  R  U  O  J
L  U  M  I  N  A  R  I  A  L  O  G  S  U  M
J  T  I  Y  B  U  L  S  L  L  I  G  H  T  S
E  K  B  T  K  J  U  T  S  S  P  S  X  O  B
```

JERUSALEM	JOY	LOG
JESUS CHRIST	LANTERN	LORD
JINGLE BELLS	LAUGHTER	LOVE
JOLLY	LIGHTING	LUMINARIA
JOSEPH	LIGHTS	
JOURNEY	LIST	

55

```
P R R Y R Y Y S R C K H G M P
G Y F S E I R O M E M V M I M
T L Q T P C E A D J G H I N I
Y N N Z A H B Z M T S F D C S
R T E Z M E X C A F D U N E T
S E S M Y I M E I K K R I P L
Y P T E I U T E L G M E G I E
K N J S J R F T C C A Y H E T
E A X S I A R H E N A M T H O
E P T A N N M E T N I R C H E
S M W G K L I A M R S M I R S
C Y L E S O W M N C I P B M V
U H V W R S L L T G W M E U Q
B W J U V M A N T L E D L O X
X O B C I S U M M Y R R H N G
```

MAGIC	MERRIMENT	MISTLETOE
MAIL	MESSAGE	MITTENS
MAJESTY	MIDNIGHT	MUSIC BOX
MANGER	MINCE PIE	MYRRH
MANTLE	MINCEMEAT	MYTHS
MARY	MINISTER	
MASS	MIRACLE	
MEMORIES	MIRTH	

56

P	M	N	N	I	Z	F	E	E	D	E	C	G	L	G
A	H	B	Y	X	L	L	K	S	G	T	B	U	G	C
G	I	N	U	T	G	N	I	K	C	A	P	B	B	O
E	P	S	N	O	I	S	A	C	C	O	K	M	X	E
A	T	Y	W	V	E	V	R	R	N	N	V	C	B	R
N	O	S	T	A	L	G	I	A	K	A	L	M	A	W
T	B	X	O	E	V	M	T	T	P	E	U	V	L	P
R	S	Y	R	N	L	E	T	N	A	U	G	H	T	Y
Y	E	R	N	K	R	O	W	T	E	N	O	E	L	O
S	R	G	A	L	Z	Q	P	F	L	N	P	R	V	M
F	V	V	M	G	S	D	N	H	X	Y	E	V	D	Z
C	A	R	E	K	C	A	R	C	T	U	N	V	M	A
Y	N	F	N	X	G	P	Y	W	U	R	B	J	O	K
K	C	L	T	Y	X	C	D	V	R	F	O	Y	Z	H
F	E	Z	S	P	T	R	G	E	M	T	U	N	N	G

NATIVITY
NAUGHTY
NETWORK
NOEL
NORTH POLE
NOSTALGIA
NUT

NUTCRACKER
NUTMEG
OBSERVANCE
OCCASION
OPEN
ORNAMENTS
OVEN

PACKAGE
PACKING
PAGEANT
PAGEANTRY

57

```
T F S F S L J E P R E I R A K
X J S R R E L P N R E T S C W
A Q E A U U K A Z O A Y H G N
T P H N O Y X E C P C N A T T
J P I X I E T T N E C E C R E
Q C P E P P E R M I N T N E P
S U I F H B E C A E P O H I R
X D X D E D A R A P I P H E P
Q P L U M P U D D I N G U P R
E E G D I R T R A P E G K R E
D Z L B M P R I E S T C A I S
P E A C E D O V E L R Y T D E
A I T T E S N I O P E B Y E N
Q P O S T O F F I C E K D Z T
V X P T O X T Y U J N X R Q S
```

PARADE   PIE   POST OFFICE
PARTRIDGE   PINE   PRANCER
PARTY   PINE TREE   PRAYER
PEACE   PINECONE   PRESENTS
PEACE DOVE   PIXIE   PRIDE
PEPPERMINT   PLUM PUDDING   PRIEST
PHONE CALL   POINSETTIA

58

```
Y  T  I  T  N  A  U  Q  R  J  N  S  M  N  Y
V  Z  V  Y  E  K  R  E  E  D  N  I  E  R  X
P  S  L  Q  P  C  D  A  B  O  T  A  O  R  V
S  U  E  Z  U  H  I  P  R  O  P  H  E  C  Y
D  E  M  I  A  L  C  O  R  P  T  R  Q  B  R
O  W  V  P  T  Y  I  N  J  O  Z  X  K  K  E
S  Q  Q  I  K  I  T  F  U  E  G  J  T  K  L
G  K  U  N  T  I  R  I  E  P  R  R  K  Q  I
S  U  I  I  T  A  N  O  R  D  E  R  A  D  G
V  X  N  C  R  X  L  P  I  U  Z  E  H  M  I
R  E  C  S  S  K  J  E  I  R  P  C  D  A  O
D  C  E  A  X  X  Y  A  R  E  P  E  Z  Y  N
Z  D  P  I  Y  W  Q  U  E  S  T  I  O  N  S
J  M  I  P  D  M  A  Q  S  I  Q  V  V  E  V
M  R  E  F  L  E  C  T  I  O  N  E  S  C  V
```

PRIORITIES	QUANTITY	REINDEER
PROCLAIM	QUESTIONS	REJOICE
PROGRAM	QUINCE PIE	RELATIVES
PROPHECY	QUIRKY	RELIGION
PUMPKIN PIE	RECEIVE	
PUNCH	RED	
PURITY	REFLECTION	

59

```
D S E V L E S A T N A S Y L S
U N Q G A B S A T N A S O A Y
R A U T C N A S A K N K Q N Y
T D Z S D H V F T D T V F T A
W B D V A E P T Q X A E M A W
Y W T M L C R L I S C R E R L
Q V K P L K C O Y L E C S B R
J Q N V S G V A D A V C B X S
O P N O B B I R S U E L E X W
L O O U I T G V G S R M A G C
V A T R F N G T O H E U R B J
J R E S O L U T I O N S D O C
S N D V L E V E R E C S B O O
S S A L E S Q T R V E U D K P
O T F O O R I T U A L U R
```

RESOLUTIONS	ROOFTOP	SANTA CLAUS
REUNION	ROOTS	SANTAS ELVES
REVEAL	RUDOLPH	SANTA'S BAG
REVEL	SACK	SANTA'S BEARD
REVERENCE	SACRED	
RIBBON	SALES	
RITUAL	SANCTUARY	

60

L	J	V	N	G	N	I	R	A	H	S	S	R	Z	O
T	C	D	X	C	S	S	W	B	X	E	Q	T	A	K
U	L	U	X	L	E	E	Z	Q	K	N	S	A	F	L
S	Z	G	U	T	R	C	A	Y	M	D	S	N	J	G
G	I	R	A	U	V	U	L	Z	P	I	Q	U	H	T
G	O	L	T	S	I	L	S	A	T	N	A	S	E	K
H	F	W	V	C	A	A	C	E	G	E	A	N	G
E	S	R	Y	E	E	R	V	U	A	Y	R	U	P	K
M	J	P	D	N	R	B	I	J	H	R	B	C	T	R
V	A	O	M	T	P	P	O	A	N	K	F	E	K	E
M	I	U	E	G	O	O	R	C	S	E	A	S	O	N
C	N	S	I	L	V	E	R	B	E	L	L	S	F	Q
U	I	L	S	E	C	R	E	T	S	A	N	T	A	I
S	S	H	O	P	P	I	N	G	Z	J	S	N	T	A
S	K	D	Q	M	K	D	R	E	H	P	E	H	S	E

SANTAS LIST	SEASON	SHEPHERD
SAUCE	SECRET SANTA	SHOPPING
SAVIOR	SECULAR	SILVER
SCARF	SENDING	SILVER BELLS
SCENT	SERVICE	
SCROOGE	SHARING	

61

S	T	A	R	O	F	D	A	V	I	D	C	W	G	D
S	T	C	Y	C	V	U	P	E	U	V	D	S	Q	J
N	A	H	B	L	T	S	S	S	T	I	M	E	C	S
O	S	S	G	R	E	I	B	T	L	A	Q	V	L	M
W	O	N	S	I	S	G	R	V	A	E	K	V	P	S
F	Z	O	O	L	L	G	N	I	G	N	I	S	J	N
A	Q	W	S	W	L	R	N	A	P	C	D	G	B	O
L	R	B	X	T	B	E	A	O	W	S	R	P	H	W
L	A	A	V	F	A	O	B	T	S	O	Q	T	O	M
V	G	L	T	O	W	B	U	H	S	C	N	J	Y	A
B	Y	L	J	S	L	H	L	N	G	K	C	S	X	N
D	R	X	I	M	E	N	M	E	D	I	W	Z	V	O
P	H	Q	G	N	I	K	C	O	T	S	E	K	F	C
M	F	K	C	I	N	T	S	T	U	B	L	W	L	B
D	G	X	G	E	K	A	L	F	W	O	N	S	U	

SINGING
SKATE
SLED
SLEIGH
SLEIGH BELLS
SNOW
SNOW ANGEL
SNOWBALL

SNOWBOUND
SNOWFALL
SNOWFLAKE
SNOWMAN
SOCK
SONGS
SPIRIT
ST. NICK

STABLE
STAND
STAR
STAR OF DAVID
STARLIGHT
STOCKING

62

```
F  B  S  S  E  N  R  E  D  N  E  T  K  T  G
F  T  E  M  P  L  E  E  M  S  U  C  G  A  Z
L  G  L  I  U  S  M  I  T  Y  N  I  T  N  F
D  O  R  D  F  L  V  U  C  A  T  C  T  N  D
S  K  B  S  U  R  P  R  I  S  E  S  I  E  T
X  U  U  M  L  W  S  R  K  I  X  W  N  N  E
G  D  S  D  Y  C  C  W  A  Z  T  I  S  B  D
Y  H  Y  T  D  S  S  R  A  G  S  S  E  A  D
V  I  N  I  E  U  M  H  A  R  U  M  L  U  Y
T  L  A  D  G  N  I  F  F  U  T  S  O  M  B
S  N  G  I  Q  D  A  Y  M  R  E  S  K  E  E
I  Z  O  N  Q  O  K  N  Y  X  B  G  U  T  A
J  X  G  G  I  W  G  U  C  E  R  P  X  N  R
Q  N  U  S  K  N  A  H  T  E  H  T  Q  R  S
I  Z  E  Y  J  I  M  S  I  L  O  B  M  Y  S
```

STRAWS
STUFFING
SUGARPLUM
SUN
SUNDOWN
SURPRISE
SUSTENANCE

SWEATER
SYMBOL
SYMBOLISM
SYNAGOGUE
TANNENBAUM
TEDDY BEAR
TEMPLE

TENDERNESS
TEXTS
THANKS
TIDINGS
TINSEL
TINY TIM

63

A	A	K	J	W	J	D	F	U	Q	M	C	E	I
C	T	R	I	M	M	I	N	G	J	A	U	E	V
D	U	U	V	T	Y	O	S	A	B	K	K	Z	M	S
R	R	N	W	O	R	R	L	T	T	Q	K	T	B	P
S	K	I	N	B	V	A	E	E	E	S	O	G	U	T
N	E	V	Y	O	S	G	I	H	V	P	E	N	Y	R
W	Y	E	U	G	I	L	H	N	T	A	M	E	M	U
M	Z	R	I	G	N	T	T	R	E	E	R	U	R	S
D	C	S	B	A	Z	I	I	C	C	W	G	T	R	T
F	Z	A	T	N	J	Q	L	D	B	B	H	O	G	T
X	R	L	F	F	J	Y	S	K	A	T	V	Y	T	Q
O	Z	I	Z	M	Z	R	T	Y	N	R	P	C	A	K
V	U	T	R	A	N	Q	U	I	L	I	T	Y	J	C
V	A	Y	V	A	B	O	O	D	N	P	W	E	G	N
G	N	I	X	O	B	N	U	S	I	U	W	T	M	G

TOBOGGAN
TOGETHER
TOY
TRADITION
TRAIN
TRANQUILITY
TRAVEL

TREE
TREE STAND
TRIMMING
TRIP
TRUMPETS
TRUST
TUG

TURKEY
TWINKLING
UNBOXING
UNITY
UNIVERSALITY

64

H	H	M	K	F	Y	Y	I	B	G	R	R	F	V	K
U	O	O	O	D	V	C	N	C	U	Q	D	T	M	V
K	U	V	W	T	Y	C	H	I	L	D	R	E	N	Z
N	S	D	H	E	H	U	P	I	S	A	M	V	G	E
U	E	S	U	O	H	E	A	E	L	U	N	I	K	R
A	H	I	X	I	M	P	R	U	G	D	O	N	I	O
K	O	H	D	M	C	E	E	E	N	A	R	C	N	P
R	L	E	Y	M	M	T	N	N	H	C	E	K	S	M
R	D	O	K	Z	X	O	T	H	M	T	L	N	H	V
I	R	E	F	L	G	H	D	U	C	V	A	E	I	I
J	Y	O	G	N	V	J	K	U	K	Q	T	F	P	L
Z	M	A	R	R	I	A	G	E	H	P	I	Y	W	O
V	G	X	M	M	L	K	U	F	C	L	V	P	S	G
O	D	Q	W	Y	N	U	S	I	S	T	E	R	T	M
Z	P	I	V	I	M	Q	C	T	E	M	L	U	I	Z

CHILD
CHILDREN
CLAN
COUSIN
FATHER
HOME
HOUSE

HOUSEHOLD
KIN
KINFOLK
KINSHIP
LINEAGE
MARRIAGE
MOTHER

NEPHEW
PARENT
RELATIVE
SISTER
UNCLE

65

N	P	A	R	E	N	T	A	G	E	H	M	H	F	K
R	E	V	O	Z	X	H	A	D	J	N	A	M	E	I
K	E	R	E	H	T	O	R	B	E	B	S	D	F	N
Y	E	H	A	N	C	E	S	T	O	R	S	K	K	S
E	W	R	T	L	E	E	L	G	V	M	D	Y	O	F
H	B	A	N	O	U	L	G	P	N	S	O	N	O	O
U	K	I	L	O	M	C	P	A	U	I	I	I	I	L
B	U	Q	R	Y	S	D	N	O	N	O	L	J	O	K
Q	I	S	G	T	L	D	N	U	E	E	C	B	L	D
M	S	S	X	D	O	I	N	A	V	P	M	M	I	P
P	D	E	Z	U	F	V	M	A	R	A	Z	U	S	S
R	E	H	T	A	F	D	N	A	R	G	Y	S	V	U
E	M	O	H	R	E	T	S	O	F	G	B	K	M	M
G	V	H	I	A	S	U	B	F	A	M	I	L	Y	P
Y	K	I	K	Y	Y	L	I	M	A	F	P	E	T	S

ANCESTOR
AVUNCULAR
BROTHER
COUPLE
FAMILY LAW
FOSTER HOME
GRANDFATHER
GRANDMOTHER

GRANDSON
KINDRED
KINSFOLK
MENAGE
NAME
PARENTAGE
PEOPLE
SIB

SIBLING
SON
STEPFAMILY
SUBFAMILY
TRIBE

66

A	E	Y	Y	R	L	E	V	E	R	T	V	H	W	U
E	T	V	A	Q	K	D	L	A	V	I	T	S	E	F
Y	M	R	E	D	V	A	C	A	T	I	O	N	A	V
V	A	I	C	S	I	M	S	O	L	S	T	I	C	E
T	J	D	T	E	A	L	E	D	S	W	E	S	J	T
K	H	K	T	S	L	M	O	D	N	O	W	Y	E	F
S	O	E	C	S	A	E	T	H	I	E	T	Z	L	F
R	N	G	H	G	A	M	B	S	L	T	K	Z	M	X
A	E	P	R	Q	R	E	T	R	I	A	E	E	Q	N
F	Y	T	I	I	M	Y	F	S	A	R	G	L	E	R
M	M	P	S	U	L	X	J	I	I	T	H	E	U	W
I	O	Z	T	A	I	A	M	M	O	R	I	C	L	Y
J	O	Y	M	R	E	Z	W	U	N	G	H	O	M	J
V	N	Y	A	D	H	T	R	I	B	Z	D	C	N	N
U	L	J	S	D	L	O	X	G	D	W	G	M	Z	T

BIRTHDAY
CELEBRATION
CHRISTMAS
CHRISTMAS EVE
CHRISTMASTIME
DAY
DIWALI

EASTER
FEAST DAY
FESTIVAL
FESTIVE
HONEYMOON
LEGAL HOLIDAY
REVELRY

SOLSTICE
VACATION
WEEKEND
YULETIDE

67

```
T  D  P  K  U  T  N  O  I  O  B  T  A  P  H
G  X  R  O  H  Z  F  D  T  M  Y  W  D  D  I
U  N  B  I  R  T  H  D  A  Y  B  E  Q  D  M
H  H  I  F  S  H  A  L  L  O  W  E  E  N  D
D  N  F  K  I  R  E  W  M  C  K  K  T  Z  N
Y  Y  J  E  A  E  E  G  O  O  R  J  T  K  Q
W  Z  I  O  S  M  L  P  N  R  Q  C  B  S  E
C  L  S  Q  W  T  Y  D  P  I  R  S  W  W  E
S  O  H  G  I  V  I  R  D  O  P  O  N  W  W
T  L  A  U  N  N  A  V  R  A  H  P  M  I  L
M  O  V  R  T  Y  K  U  I  E  Y  S  O  O  O
D  D  U  L  E  Q  U  Y  T  T  M  A  A  H  T
C  O  O  N  R  K  E  L  B  U  Y  M  D  M  S
U  E  T  A  R  B  E  L  E  C  M  H  U  O  X
C  C  E  L  E  B  R  A  T  I  O  N  S  S  T
```

ANNUAL	MERRYMAKING	UNBIRTHDAY
AUTUMN	SHAVUOT	WEEK
CELEBRATE	SHOPPERS	WINTER
CELEBRATIONS	SHOPPING	XMAS
FESTIVITY	SUMMER	YULE
FIELD DAY	TODAY	
HALLOWEEN	TOMORROW	

68

```
Z  V  F  F  D  Z  E  Q  H  N  G  S  I  Q  I
B  C  H  R  I  S  T  I  A  N  I  T  Y  P  T
S  O  H  A  U  R  U  V  T  I  U  J  K  V  R
A  R  E  R  P  J  E  R  U  S  A  L  E  M  W
V  H  I  W  I  O  D  V  B  R  I  D  N  X  Y
I  W  D  S  G  S  S  I  O  A  P  R  O  U  Q
O  B  W  Q  C  L  T  T  O  S  Q  G  H  I  K
R  H  A  I  S  S  E  M  L  M  S  Q  I  C  P
W  O  G  B  T  C  A  D  A  E  S  A  I  U  L
J  E  S  U  S  C  H  R  I  S  T  T  P  Z  L
B  Y  J  I  N  Q  F  H  N  S  Q  R  T  G  G
N  Y  U  V  X  K  P  X  S  B  A  F  D  D  V
K  O  L  D  T  E  S  T  A  M  E  N  T  W  A
Y  C  L  H  Q  C  V  F  Y  M  U  Y  Q  N  S
K  Z  K  T  I  G  G  J  V  Y  I  X  I  U  S
```

APOSTLE	JERUSALEM	OLD TESTAMENT
CHRIST	JESUS CHRIST	PASSOVER
CHRISTIANITY	JEW	SAVIOR
CHRISTMAS	MESSIAH	

69

N	O	I	X	I	F	I	C	U	R	C	R	Y	O	V
J	M	N	O	I	T	C	E	R	R	U	S	E	R	Y
G	A	B	R	I	E	L	R	Y	Q	J	N	A	Y	U
X	R	N	P	M	M	T	J	E	O	F	I	U	J	B
N	Y	V	U	I	S	E	E	B	V	I	U	J	A	A
S	Y	V	X	R	O	I	H	H	L	V	J	Q	D	G
Y	V	W	L	A	J	J	T	E	P	B	G	L	L	Y
L	S	C	T	C	E	U	L	P	L	O	G	O	S	Y
U	O	N	A	L	S	L	D	P	A	H	R	G	C	R
R	E	M	E	E	D	E	R	A	L	B	T	P	I	C
H	A	Z	C	V	D	O	G	B	I	B	L	E	L	R
Y	U	B	F	H	A	U	K	K	C	S	I	U	B	X
G	Y	Q	X	Q	F	E	J	J	P	H	M	G	D	C
E	U	D	O	T	B	C	H	R	I	S	T	I	A	N
P	U	M	A	J	K	Y	L	P	S	U	E	C	M	O

BAPTISM	GOD	MIRACLE
BETHLEHEM	HEAVEN	PROPHET
BIBLE	JUDAISM	REDEEMER
CHRISTIAN	JUDEA	RESURRECTION
CRUCIFIXION	LOGOS	
GABRIEL	MARY	

70

```
D R A B L A V S P P X X V I T
G I T C T R U E N O R T H Y P
D K Q S I C E M R S L G T R S
V K R T A T W D R V W A M Q F
A A S N A E C O C I T C R A V
B D R A O N O R T H E A S T S
W E A C N R O W A I T G J N O
L E C L T O T R I T M U X T U
D P S I A I R H T L N G O Y T
P F C T A S C T E H D A M S H
Z R N J E E K N P R W W W K W
W E S T A R S A X O N E E P E
K E O W J S N F N Y L S S S S
A Z T S A E H T U O S E O T T
E E A S T E R N Q Y A Y R X H
```

ALASKAN	NORT POLE	SOUTHEAST
ANTARCTICA	NORTHEAST	SOUTHWEST
ARCTIC	NORTHERN	SVALBARD
ARCTIC OCEAN	NORTHWEST	TRUE NORTH
DEEP FREEZE	POLAR	WEST
EAST	POLE	WESTERN
EASTERN	SEA ICE	WILD WEST
ICE	SOUTH	

71

```
C  K  J  P  J  E  S  U  S  T  X  P  C  V  Y
Q  Z  L  S  P  A  U  G  U  S  T  I  N  E  Q
L  S  U  L  K  C  H  R  I  S  T  Z  C  N  G
N  D  N  E  V  A  E  H  A  W  D  L  T  E  D
E  O  M  S  I  N  A  R  E  H  T  U  L  R  O
W  U  I  Z  D  O  G  N  Y  P  R  K  T  A  B
T  W  Y  T  Z  N  Q  J  I  T  O  Y  K  T  V
E  Z  U  T  A  I  Q  Q  Y  C  R  P  R  I  B
S  G  T  M  I  Z  L  H  T  G  H  A  P  O  V
T  F  H  M  X  E  I  Q  M  I  R  O  M  N  Q
A  Y  Y  A  X  V  D  N  O  T  D  D  L  X  K
M  S  L  U  Z  R  Y  R  O  G  E  R  G  A  F
E  Z  E  O  D  O  O  H  T  N  I  A  S  B  S
N  E  Q  C  H  R  I  S  T  I  A  N  I  T  Y
T  N  I  A  S  N  O  R  T  A  P  C  C  A  E
```

AUGUSTINE	GREGORY	NICHOLAS
CANONIZATION	HEAVEN	PATRON SAINT
CANONIZE	HOLY	POPE
CHRIST	JESUS	SAINTHOOD
CHRISTIANITY	LUTHERANISM	VENERATION
DEITY	MARTYR	
GOD	NEW TESTAMENT	

72

C	N	O	R	A	A	L	H	O	L	Y	M	A	N	C
B	J	S	E	A	G	T	B	E	N	E	D	I	C	T
A	I	G	N	A	T	I	U	S	R	T	G	F	M	H
P	B	G	S	A	H	C	U	S	E	N	O	N	F	G
D	M	G	H	S	I	S	O	E	H	T	O	P	A	I
P	I	P	R	Y	L	T	N	I	A	S	Z	P	K	Q
H	N	P	I	M	Z	W	S	R	M	I	A	E	Z	G
N	C	E	N	Y	T	I	N	I	V	I	D	T	J	U
R	J	U	E	R	O	E	N	Z	R	C	R	E	A	A
V	N	O	S	R	E	P	Y	L	O	H	A	R	A	W
E	G	Q	O	N	O	G	A	R	A	P	C	W	G	L
F	S	A	H	N	O	N	P	A	R	E	I	L	F	M
R	E	L	I	C	S	N	B	E	A	T	I	F	Y	A
B	I	Y	C	S	A	N	I	U	Q	A	L	G	T	A
K	T	P	A	U	L	D	E	R	C	A	S	F	C	C

AARON
ANGEL
APOTHEOSIS
AQUINAS
BEATIFY
BENEDICT
CHRISTIAN
DIVINITY

ENSHRINE
HOLY MAN
HOLY PERSON
IDEAL
IGNATIUS
NONESUCH
NONPAREIL
NONSUCH

PARAGON
PAUL
PETER
RELICS
SACRED
SAINTLY

73

Y	N	P	D	F	Y	L	P	P	P	N	T	F	Y	T
O	N	A	F	E	Y	R	R	J	O	L	O	Z	O	H
S	A	N	T	A	Z	F	W	J	V	Z	V	L	P	C
H	W	Y	A	S	V	O	L	G	V	S	K	L	A	B
T	Q	K	A	T	U	E	P	N	K	H	I	T	T	W
S	E	L	I	D	Q	N	N	W	Y	X	P	J	R	M
K	O	H	Q	A	S	C	D	I	O	U	M	O	O	H
I	S	B	B	Y	B	A	L	B	C	P	L	A	N	B
O	C	H	R	I	S	T	M	A	S	E	V	E	S	I
U	A	W	A	H	R	M	F	T	R	E	T	S	A	E
Q	M	O	M	H	V	P	O	U	S	A	P	U	I	K
S	C	B	Y	C	E	I	O	P	W	I	M	K	N	E
J	B	V	H	P	C	T	K	C	F	S	R	O	T	H
V	W	J	J	S	M	I	A	D	O	S	Q	H	G	D
Y	X	M	Y	X	B	N	X	V	S	Y	Y	U	C	Q

CHRISTMAS DAY	FEAST DAY	XMAS
CHRISTMAS EVE	PATRON SAINT	YULE
CLARA	SANTA	
EASTER	VENICE	

74

```
O  E  U  U  Q  U  A  R  T  E  R  D  A  Y  O
G  N  P  A  E  L  J  Y  P  U  I  P  B  M  R
N  N  Y  H  J  T  X  R  Z  R  G  M  K  R  R
E  C  I  A  O  C  A  N  D  L  E  M  A  S  D
N  U  B  V  D  H  T  D  I  E  Q  S  O  I  Q
H  R  O  I  I  I  O  N  H  D  M  R  E  V  L
L  H  T  N  B  G  L  H  U  T  O  R  W  N  J
E  A  G  J  O  O  S  O  O  H  R  S  E  B  T
Z  D  V  I  C  R  X  K  H  L  D  I  S  S  U
Y  S  B  R  E  T  T  D  N  L  I  L  B  H  N
O  C  O  T  E  L  X  H  A  A  A  D  I  B  R
W  Y  M  W  I  T  S  S  P  Y  H  G  A  W  X
U  S  N  M  P  K  N  A  B  O  Q  T  E  Y  K
V  C  Y  U  L  E  T  I  D  E  L  U  Z  L  B
K  W  M  Y  P  U  M  A  W  T  L  E  S  X  N
```

BIRTHDATE   LEGAL HOLIDAY   THANKSGIVING
BOX DAY   NORTH POLE   WILD HUNT
CANDLEMAS   ODIN   WINTERVAL
DEMRE   PRESENT   YULETIDE
HO HO HO   QUARTER DAY
HOLIDAY   SLEIGH

75

```
N P D S D F Q V M B O P J W X
C G C G B L A C K I C E N A Z
H U V B L A N K E T B A P M A
I X K Q F G N W E I E T P K F
L K I L W B B C M N R C A B G
L A H F R C P L I G E H L O Q
Y S V D L O C R E T T I B O C
N D R A Z Z I L B A O M V T L
P R Y K L L I H C T K N C S W
E F O H A C B L U S T E R Y G
N C I T C R A K I S G Y Y V B
I O R E Z W O L E B R I S K T
D K R F S E D N A M H N T T F
N Z D I P Y Y C A B A U Q Z B
Z J J S J G F W U L M L S G T
```

ANORAK

ARCTIC

BALACLAVA

BELOW ZERO

BERET

BITING

BITTER COLD

BLACK ICE

BLANKET

BLEAK

BLIZZARD

BLUSTERY

BOOTS

BRISK

CAP

CHILL

CHILLY

CHIMNEY

COAT

76

R	E	C	A	L	P	E	R	I	F	T	G	Y	V	Q
F	E	B	R	U	A	R	Y	P	G	T	E	J	O	A
I	U	B	S	D	X	J	M	D	H	O	B	V	E	J
R	C	O	M	F	O	R	T	E	R	B	N	K	U	E
E	C	I	H	E	F	W	U	C	F	S	W	G	V	D
W	T	U	A	F	C	U	N	A	N	C	D	U	G	R
O	F	I	R	E	K	E	M	C	T	O	K	Z	S	E
O	E	D	U	L	E	D	D	R	O	R	O	H	P	A
D	M	R	O	U	I	A	R	L	A	A	P	C	O	R
B	O	A	K	G	C	N	H	Z	O	E	T	N	O	Y
Z	A	F	F	X	S	H	G	U	O	C	L	T	V	C
M	O	T	T	C	O	L	D	S	N	A	P	H	J	R
X	F	Y	Z	U	N	E	E	R	G	R	E	V	E	Z
I	B	X	X	K	X	B	D	D	V	P	L	T	Y	F
F	V	W	P	T	A	H	P	A	L	F	R	A	E	F

COCOON
COLD
COLD SNAP
COMFORTER
COUGH
CURLING
DECEMBER

DOG SLED
DOWN COAT
DRAFTY
DREARY
DUVET
EARFLAP HAT
EARMUFFS

EGGNOG
EVERGREEN
FEBRUARY
FIRE
FIREPLACE
FIREWOOD

77

I	F	B	U	M	S	H	X	R	B	M	E	A	I	P
G	R	S	Y	G	Q	D	Q	U	P	Z	Q	F	J	Z
W	U	G	E	T	I	B	T	S	O	R	F	N	K	G
M	I	G	N	I	Z	E	E	R	F	M	T	Q	H	A
M	T	Z	Y	F	R	I	G	I	D	J	A	H	H	C
B	C	S	H	N	U	R	L	H	N	N	K	Z	M	I
H	A	H	U	E	E	L	U	P	V	R	R	L	F	Q
T	K	L	O	G	L	Z	F	L	E	E	C	E	X	V
A	E	J	L	P	G	A	O	L	F	O	G	A	J	W
F	R	E	E	Z	I	N	G	R	A	I	N	Y	I	M
R	E	I	C	A	L	G	C	T	F	N	V	W	C	F
O	F	R	O	S	T	B	I	T	T	E	N	O	K	H
S	E	V	O	L	G	F	U	R	N	A	C	E	R	D
T	J	D	A	E	R	B	R	E	G	N	I	G	L	Z
Y	I	U	X	G	M	F	P	E	D	Z	M	Y	P	M

FLANNEL	FRIGID	GALE
FLEECE	FROSTBITE	GINGERBREAD
FLU	FROSTBITTEN	GLACIER
FLURRIES	FROSTY	GLOVES
FOG	FROZEN	GUST
FREEZING	FRUITCAKE	
FREEZING RAIN	FURNACE	

78

```
G N I H S I F E C I S V F V Y
H A D W R U G K R J D H J E
A Z Q F I C E H O C K E Y W M
Y I C E B E R G S M V G E S V
I Q F D I I C E C R Y S T A L
C H C B U C S E T A K S E C I
E A S H I B E R N A T E H F E
S I P R E C X C O Y E K C O H
T L D V A K E H A I N H Y U T
O S I O V H A S S P C I E G Z
R T Q V O U Q L N V G N M J I
M O A H A H N I C E D A M Z Y
E N X E T A L O C O H C T O H
F E M U H Y P O T H E R M I A
K L R E P A R C S E C I T U V
```

HAILSTONE
HARSH
HEAT
HEATER
HIBERNATE
HOCKEY
HOODIE

HOT CHOCOLATE
HYPOTHERMIA
ICE
ICE CAP
ICE CRYSTAL
ICE DAM
ICE FISHING

ICE HOCKEY
ICE SCRAPER
ICE SKATES
ICE STORM
ICEBERG

79

```
C  F  L  U  G  E  C  Y  H  O  U  D  H  Y  P
F  W  O  P  N  G  O  M  R  T  T  X  Q  K  S
D  O  N  S  W  O  K  V  J  A  C  K  E  T  B
X  A  G  L  G  Q  X  T  E  P  U  Q  Q  A  Q
A  X  J  S  G  V  C  M  M  R  H  N  B  C  V
H  Z  O  T  M  N  I  P  P  Y  C  P  A  Q  H
M  S  H  U  T  S  A  C  R  E  V  O  N  J  Z
W  I  N  S  U  L  A  T  I  O  N  W  A  Q  O
W  Z  S  Z  G  S  E  B  C  C  R  I  U  T  D
P  T  U  X  F  P  N  M  Y  I  L  X  N  I  W
T  M  G  O  L  A  K  E  E  F  F  E  C  T  D
U  N  L  O  A  G  D  X  T  D  M  L  A  S  L
S  E  O  H  S  R  E  V  O  T  R  H  D  W  Z
G  W  E  H  P  Y  V  J  V  E  I  U  Q  H  K
G  Y  M  T  V  R  E  L  F  F  U  M  U  H  Q
```

ICICLE	LOG	NIPPY
ICY	LONGJOHNS	OVERCAST
INSULATION	LUGE	OVERCOAT
JACKET	MELT	OVERSHOES
JANUARY	MITTENS	
LAKE EFFECT	MUFFLER	

80

```
T  H  R  Z  C  K  N  O  W  E  D  U  O  O  F  A  X
R  Y  S  T  R  S  N  X  V  Q  L  Q  M  B  D  Y  T
U  F  M  E  R  S  H  G  L  N  X  E  F  Q  N  F  U
V  D  K  X  C  A  H  E  Q  R  V  J  I  Z  X  K  H
D  N  L  G  W  U  D  O  P  S  H  A  R  I  N  G  C
A  N  E  I  M  E  L  I  C  H  W  M  X  P  Q  D  D
D  I  U  J  L  B  F  A  R  K  E  L  D  W  H  F  C
H  P  I  S  S  M  E  M  R  H  E  R  A  A  J  H  K
N  O  L  H  H  F  H  E  L  C  N  D  S  X  S  A
T  Q  B  M  N  F  O  G  S  S  A  M  Z  J  C  I  D
S  Q  M  C  B  M  O  P  U  E  C  M  D  D  P  I  Z
N  G  N  O  K  O  A  D  P  D  N  E  B  T  G  X  Z
F  S  M  A  R  N  Z  V  X  I  Q  D  N  S  P  H  E
T  A  R  C  Y  B  G  U  I  B  N  X  I  T  V  W  H
K  B  S  Z  T  X  B  U  B  S  M  G  O  N  S  Y  I
T  U  D  V  N  M  Q  N  E  C  M  K  E  M  G  M  Y
B  L  L  V  A  S  I  L  V  E  R  B  E  L  L  S  D
```

SCENTS
SECULAR
SHARING
SHOCK
SILVER BELLS

SCROOGE
SENDING
SHEPHERD
SHOPPING
SLED

81

H	P	F	D	O	N	R	X	W	J	R	D	U	Y	B	M	N
R	E	C	O	N	C	I	L	I	A	T	I	O	N	S	J	W
Z	K	R	G	S	N	O	W	M	A	N	A	P	S	P	B	I
S	E	Z	V	S	T	T	F	X	S	A	F	G	S	I	Y	Z
Q	L	Q	K	S	Z	S	N	M	U	P	Y	R	O	C	S	K
A	Z	U	W	O	G	L	P	O	D	V	K	W	N	E	B	O
L	P	A	E	M	G	E	W	I	V	Y	C	Z	G	S	N	W
V	J	L	D	X	H	I	Q	K	R	W	K	I	S	F	R	E
J	P	I	F	G	L	G	D	U	B	I	Y	V	T	B	O	J
R	B	T	Z	T	M	H	J	S	I	O	T	M	W	X	A	Q
D	T	Y	H	W	R	B	V	N	Q	R	Q	L	F	N	D	J
U	V	I	V	I	L	E	G	O	U	N	K	L	X	N	C	A
L	J	F	W	P	V	L	C	W	U	O	Q	Y	I	N	O	M
I	Z	T	Q	F	O	L	Q	V	M	L	F	F	T	G	M	N
W	B	Z	N	K	F	S	G	P	U	R	I	T	Y	C	J	X
Q	M	T	Z	N	W	F	E	O	T	C	V	P	Z	J	U	X
X	I	T	G	O	R	T	E	Q	Y	E	K	E	K	M	G	D

PURITY
QUIRKY
SLEIGH BELLS
SNOWMAN
SPICES

QUALITY
RECONCILIATION
SNOW
SONGS
SPIRIT

82

```
L H D W L R U L M N N V U M Q G P
X T S U A F A T T A E L T E V K K
C S Q T U R F K C W Z E B Y T O J
F N S H A N M W K H I Q P R C D S
F Q U R T R B X Q T S N C H J E J
Z U G S R S R O W P W T K C F R F
W M A T I D T Y X D N Y R L E Z D
W Q R U U X H A N I T B C E I G C
V B P F M M A Z B I N Q M A S N R
K I L F P P R F X L G G I G U S G
S X U I H P H G B Y E H M V S H K
V W M N A R Q P M N A I T D X X M
H B S G N L T O V U N T H M F I J
K J A Y T D N P J W R C U J W A C
K J Z M C S U S H W A S T T J B J
D N S T A R S X Q Z W D M T I N Y
Z G G X Q D A U B S K W P L L L D
```

STABLE
STARS
STUFFING
TRIUMPHANT
UNBOXING

STARRY NIGHT
STRESS
SUGAR PLUMS
TWINKLING
WARM

83

T Y O S P K Y M Z N V O D S G Z M
G R D Z J A G M L B M H O F Z T V
N F A X I Q B V F M G J Z V L S B
W K P U R I T Y F M S L L U S Y Z
J S O I L R P W H X O V F T Q M D
L H Z W R S I Z S B X K Z Y W B I
J S P C F U H C M C N Y T K P O C
H C M X U N R Y W A T E W X T L N
W F H A F D S V H I I P K Y L I M
A Z L J J O F T L A L H N Z N S D
R Q W R O W T A G D R C I G P M A
P O Q X H N U N S A C K L K Y T C
I Z O F R Q C N F G Q Q B Z Y G Q
G U S T D G G B R E L A T I V E S
W F G V S H N Z L G G B A U X N M
Q V F G N L R H P L Z Z P T O K F
J L W E I T E D D Y B E A R U G U

PURITY
RELATIVES
SACK
SYMBOL
TEDDY BEAR

QUALITY
ROOTS
SUNDOWN
SYMBOLISM
THANKFUL

84

```
X  M  D  T  C  F  C  H  C  U  X  J  K  L  X  L  R
M  Y  C  G  C  O  A  S  C  N  M  H  V  Q  K  T  N
F  P  B  U  M  J  H  R  B  U  R  D  O  L  N  H  U
H  V  A  N  X  L  P  F  N  T  X  O  X  A  S  J  T
C  R  H  G  V  O  C  P  M  M  D  C  H  K  Y  J  C
W  M  Y  U  E  Z  E  P  E  E  F  P  N  G  S  D  R
O  J  Y  K  P  A  L  T  X  G  M  A  H  N  H  T  A
S  T  Q  K  Q  C  N  C  R  U  H  S  N  R  Q  O  C
Q  Y  Z  P  A  F  O  T  I  T  H  X  E  V  Z  R  K
E  G  G  W  A  R  M  R  R  T  O  K  E  P  A  T  E
Y  P  N  K  C  A  T  W  I  Y  J  J  X  K  X  D  R
G  K  L  M  U  A  P  S  W  A  P  R  I  N  C  E  S
R  G  N  P  R  E  S  E  N  T  S  C  J  E  B  Y  R
S  L  S  T  I  N  K  L  I  N  G  D  R  J  D  O  N
E  W  O  B  S  E  R  V  A  N  C  E  E  Z  Q  L  Z
Q  T  X  G  E  N  I  D  F  C  A  F  S  O  B  W  M
S  J  P  E  O  C  A  N  X  I  B  Z  V  U  Q  O  Z
```

NUTCRACKERS
OBSERVANCE
PRESENTS
THANKS
TRIUMPHANT

NUTMEG
PAGEANTRY
PRINCE
TINKLING
WARM

85

U	P	F	J	P	T	Q	O	P	O	F	I	X	L	O	L	L
N	L	Q	M	T	C	W	D	B	S	G	T	G	K	J	S	M
P	U	I	G	O	E	V	I	E	N	U	Q	C	I	M	Y	I
J	K	V	H	Y	T	P	V	I	E	Z	R	S	U	T	F	Q
F	V	Y	O	S	J	I	L	O	L	G	R	L	I	T	N	G
L	D	C	G	O	T	K	G	Z	N	E	P	L	K	S	Q	E
M	O	W	M	A	N	N	C	A	K	R	I	N	G	G	U	M
E	L	Q	L	I	I	L	M	C	A	U	B	N	E	Q	Z	B
O	P	E	W	X	E	E	A	G	Q	C	I	A	B	H	E	R
J	R	T	O	S	U	R	U	N	H	M	K	L	O	T	M	R
L	O	B	N	J	C	S	A	V	M	P	A	O	N	N	L	J
M	N	I	B	T	Y	R	P	I	I	W	E	N	G	E	C	G
U	T	B	U	O	T	C	R	Y	T	E	Y	Z	E	Z	D	G
C	L	N	Q	H	H	T	I	S	E	R	F	I	N	X	J	B
J	U	N	D	H	V	H	Y	W	D	P	I	N	A	L	D	B
O	G	X	Y	R	B	A	X	P	U	I	S	P	F	I	V	T
U	F	R	F	N	E	X	A	M	D	J	C	Q	S	Y	S	X

NUTCRACKERS
SUGAR PLUMS
TOYS
TRIMMINGS
TWINKLING

RELATIVES
TINSEL
TRANQUILITY
TRIPS
UNBOXING

```
G B D N V I T R X G K L Q E R D D
U B U C H E D E N O E L K W A S D
N M A P T Z D B M B Y P P C J I K
D Q A F A H A C O H V V X T P R V
E A L B O K S Y W Y G C T P L H S
R E N K H O H B B J T U C A P D L
S G K N D T I V I T U R K E Y L F
T C Y B I W N V G Y C G L Z A G X
A V A L G I S Z T M Y M C O L B
N O H M K N C O W E W A I L A Z H
D N T Y E K C S U L H P E S R L S
I X Y U J L S B X D Y L R K L K O
N S S E K I S A N T U E H D U L T
G E N P R N O Y C Y V W W E H I J
C U Z A H G O Z Y I Q Z P I X K G
S O Z C Q U A D N E V I F U Q E K
E U V D H F P U D J R V S I E G X
```

BUCHE DE NOEL   CAMELS
COZY   DASHING
TURKEY   TWINKLING
TYPICAL   UNDERSTANDING
UNIVERSAL   YULE LOG

```
J  S  E  U  R  B  D  B  N  N  W  U  A  N  J  V  T
W  G  X  O  P  I  B  N  P  R  C  Y  C  R  V  A  F
H  F  J  H  J  R  J  A  C  R  W  V  V  X  L  K  A
M  D  R  C  D  W  R  B  A  K  L  K  C  I  U  F  A
L  Y  E  W  J  W  D  E  X  O  C  W  S  B  I  X  J
Y  K  I  I  N  S  B  L  V  X  M  F  P  F  S  J  C
W  R  N  U  M  Y  V  A  C  A  T  I  O  N  Z  M  A
D  M  D  N  D  A  H  A  O  E  N  G  J  B  S  M  N
Q  Z  E  D  J  Z  E  D  E  G  P  I  U  I  H  F  D
U  J  E  O  Y  P  U  W  C  M  D  M  L  O  R  Y  L
I  T  R  V  A  L  U  E  S  V  O  R  L  C  Z  E
N  M  V  X  B  W  H  B  U  Y  B  P  F  L  A  J  L
C  O  C  L  T  S  R  R  L  M  G  G  L  B  Q  N  I
E  I  T  Y  Y  X  Q  I  Y  P  Y  R  D  S  U  G  T
P  G  F  N  M  E  W  S  L  J  Y  R  W  U  E  R  E
I  C  S  D  M  M  G  K  P  O  G  A  W  F  U  E  X
E  W  P  K  O  E  A  T  B  F  D  I  L  U  G  G  N
```

BRISK
QUINCE PIE
SYMBOLISM
UNWRAP
VALUES

CANDLELIT
REINDEER
TEDDY BEAR
VACATION
VANILLA

88

I	F	R	R	C	R	S	N	E	M	G	B	W	M	D	S	G
P	M	D	C	F	A	P	Z	V	J	H	I	S	W	F	S	L
R	N	O	T	P	W	M	Z	M	Y	H	F	C	A	W	F	E
D	Q	F	I	G	S	A	E	V	B	N	L	O	S	A	K	Y
K	F	V	N	W	G	V	L	L	Q	D	Y	P	S	C	G	J
X	M	O	K	V	S	E	B	N	S	T	E	X	A	A	C	F
B	W	L	L	K	W	N	B	Z	U	K	D	T	I	R	Y	Z
H	I	U	I	E	M	I	J	O	E	T	Q	M	L	O	N	S
D	Z	N	N	X	J	S	C	O	F	P	S	J	R	G	V	U
S	U	T	G	L	U	O	B	X	K	G	M	A	E	R	C	H
R	N	E	P	P	P	N	U	T	C	R	A	C	K	E	R	S
P	G	E	X	V	G	A	J	E	O	V	W	I	N	T	E	R
R	F	R	I	D	H	Y	U	L	E	L	O	G	Q	J	N	T
G	N	W	F	G	D	N	E	X	J	M	U	T	C	U	B	M
K	U	V	F	C	Y	B	U	C	H	E	D	E	N	O	E	L
M	R	X	Q	H	P	P	I	Y	P	H	F	O	I	J	C	W
I	L	W	B	P	T	U	Q	V	M	L	W	F	B	W	O	Q

BUCHE DE NOEL
NUTCRACKERS
VENISON
WALNUTS
WINTER

CAMELS
TINKLING
VOLUNTEER
WASSAIL
YULE LOG

89

U	O	S	U	G	A	R	P	L	U	M	S	G	G	E	T	N
N	N	A	T	I	V	I	T	Y	M	W	N	M	A	B	D	P
R	Y	F	Y	H	N	S	N	L	Q	E	Q	J	J	E	I	Z
G	A	C	Q	Z	H	M	E	X	M	E	I	B	Q	P	D	Q
Y	T	B	I	D	N	T	L	E	I	C	G	M	K	F	D	T
F	H	R	G	U	N	I	S	W	Z	A	Y	T	S	C	R	V
L	N	A	T	I	V	I	T	Y	M	N	V	Z	N	L	D	M
P	G	Y	P	O	W	D	L	O	C	D	Z	V	J	X	W	C
X	X	C	O	Z	Y	E	X	D	O	L	W	B	D	P	E	H
C	G	T	J	D	N	W	O	N	D	E	R	Y	R	K	O	U
W	Z	D	U	B	V	B	T	B	W	L	O	B	A	G	B	V
A	O	W	G	R	T	Y	A	D	W	I	Q	L	O	Q	Y	C
X	E	S	Q	I	T	Z	A	F	X	T	O	W	S	M	Z	S
P	M	Y	T	S	T	Q	D	A	S	H	I	N	G	F	O	K
I	R	I	A	K	Z	U	F	G	G	B	D	T	K	A	E	M
B	P	P	J	B	L	C	T	P	Z	C	S	Y	O	D	L	U
B	B	G	P	M	X	X	I	T	Q	K	M	Y	T	H	S	G

BRISK
COZY
MYTHS
SUGAR PLUMS
WONDER

CANDLELIT
DASHING
NATIVITY
WISE MEN

```
I  O  D  X  Z  G  U  N  I  F  J  P  X  F  Q  W  I
D  L  Y  U  A  I  D  D  X  L  G  H  V  Y  U  A  P
P  H  O  B  N  G  X  X  N  I  Z  J  K  U  Z  S  Z
Z  O  R  K  U  D  A  O  A  G  Y  V  C  L  H  Y  A
X  D  K  W  T  U  E  O  L  Z  O  E  U  E  K  A  Z
W  W  S  V  C  B  D  R  N  N  U  I  C  T  S  F  Z
L  T  H  H  R  M  F  D  S  M  T  L  Y  I  P  T  I
T  Y  I  D  A  Y  W  C  W  T  H  T  H  D  D  F  V
I  P  R  P  C  U  S  T  N  A  A  Y  M  E  U  Y  W
N  I  E  L  K  L  B  X  V  W  U  N  Q  A  T  N  B
K  C  P  V  E  E  R  O  K  R  E  N  D  S  F  B  Y
L  A  U  S  R  L  W  J  F  E  K  I  E  I  A  J  L
I  L  D  G  S  O  B  B  N  A  G  Z  G  R  N  G  F
N  H  D  O  A  G  R  M  K  T  J  L  D  Y  O  G  M
G  C  I  M  L  P  Z  E  K  H  Q  H  G  R  A  D  U
X  O  N  Z  J  K  Z  J  F  Z  K  N  H  Y  N  L  L
N  C  G  N  Q  A  Y  Q  V  J  U  B  J  P  A  L  I
```

NUTCRACKERS
TYPICAL
WREATH
YOUTH
YULETIDE

TINKLING
UNDERSTANDING
YORKSHIRE PUDDING
YULE LOG
ZESTY

91

G O S F J C U A C I A Q V P X N W
K M O W L O V G N N M Y L Z Z U L
Q I D R O P N S F A Y G R T J T N
E S J Q D Q B M U T Q H Q I J M T
T U Z R I E G U I I I P H O W E J
H G Z E W X M J B V R C S M G G T
W A J L H I L Z H I Q Z S H Q X V
O R S A P H S Q S T C G W A U I T
V P W T P S X E M Y N U E F I Q X
A L I I R E B Z M I B M Y A N M V
N U M V E R L A M E B L X Q C G V
I M D E S H R M B M N V J C E C B
L S K S E C I F Q Z M L L V P L B
L B H J N R B N Y G O P E E I X R
A Z W P T R V U T E D D Y B E A R
B M G Q S H F B V H B C G N C F B
R I D C P Z L P K X D F S O O D R

NATIVITY
PRESENTS
RELATIVES
TEDDY BEAR
VANILLA

NUTMEG
QUINCE PIE
SUGAR PLUMS
TRIMMINGS
WISE MEN

92

E	X	I	N	A	N	W	M	R	N	N	C	N	B	Y	Y	C
Q	E	M	Y	S	Z	P	C	V	O	A	C	L	E	E	F	M
K	S	T	A	R	R	Y	N	I	G	H	T	K	Z	S	Y	E
Z	W	H	O	Z	F	R	T	B	J	P	R	I	R	T	J	Y
S	S	M	S	E	Z	A	N	N	U	B	E	E	V	I	Z
T	T	Z	K	F	C	R	G	E	T	F	F	K	Q	I	S	G
I	O	T	F	A	R	T	E	O	S	F	I	G	J	K	P	G
C	C	C	V	V	M	R	B	L	U	T	J	H	Z	T	U	Y
K	K	T	B	F	G	V	P	T	Z	C	G	I	U	G	N	Q
E	I	F	R	D	X	A	S	K	H	O	H	C	Q	V	C	M
R	N	Q	E	E	J	G	V	I	B	O	A	U	F	A	H	A
S	G	R	G	Z	E	Q	F	O	G	K	A	T	L	Z	U	Y
V	S	V	L	P	N	S	C	U	L	I	G	Q	B	B	G	P
K	G	P	Z	Q	M	G	O	B	Z	E	L	Z	C	T	Q	F
G	T	Z	T	A	S	A	V	J	R	S	G	J	Y	M	I	A
E	P	A	R	D	O	P	S	Y	V	A	C	F	Q	D	W	S
C	A	W	A	P	R	S	H	C	D	N	R	D	O	D	X	C

COOKIES
RED GREEN
STICKERS
STUFFERS
TURKEY

PUNCH
STARRY NIGHT
STOCKINGS
TREES
VACATION

93

```
Y  V  W  I  N  T  E  R  W  B  B  H  P  G  I  J  R
C  B  B  T  Y  K  S  C  D  E  O  V  I  K  M  W  F
Z  N  N  S  J  G  T  I  J  T  M  R  V  I  P  R  C
C  T  W  H  N  K  D  O  A  E  B  U  E  W  F  B  U
E  O  W  I  H  T  D  T  X  C  F  L  Y  V  W  Z  R
D  N  D  C  K  Y  O  K  Y  T  O  Y  O  D  S  F  V
S  I  S  Q  J  P  O  K  E  H  I  O  H  E  K  E  L
T  K  M  C  T  I  X  C  Z  U  W  N  K  K  B  S  O
A  T  T  E  H  F  T  O  Y  S  P  G  S  I  K  X  Z
D  W  E  R  R  I  I  Q  E  F  Q  E  V  E  E  K  X
O  W  J  L  A  R  M  Z  C  W  W  T  Q  G  L  S  G
S  L  S  V  V  D  Y  N  E  Y  T  R  H  Z  Q  Y  M
G  X  I  L  F  Q  I  C  E  D  H  E  H  O  Y  G  J
G  O  Z  K  A  L  I  T  V  Y  G  E  U  X  W  C  E
A  H  A  T  R  A  F  F  I  C  R  S  T  R  X  Q  P
T  J  A  X  J  Z  C  Z  V  O  N  B  Z  F  R  Y  O
V  W  T  O  G  E  T  H  E  R  N  E  S  S  M  V  X
```

CHIMNEY	COOKIES
SWEET POTATO	TIDINGS
TINSEL	TOGETHERNESS
TOYS	TRADITION
TRAFFIC	TREES
WINTER	

94

```
M W K F W X S R N J K N C Q W S X
L T R A V E L V R N X A G J L W A
O X G Y B K S B K N M T Q G Y R A
R X Z R Y C O E O O J A R K S A A
T E B J I F N I R D W E R O K P S
M J S L M O T P X V T T A M Q P P
S V A Z K A P E F N R Y D G I I R
T A J Y C S G M I W W B T R P N P
O T W A M F R W Y H H X T O P G D
G H V L W T D E T I K A P I R P U
G Y M X D G E A N U N G H F T A B
L R O A E L E X T A V S C P U P A
H O E D U R A C E V R Q P O R E R
J Q B Y W K X P V O Q G Q D K R V
G Y F K N R A E W S Q B K T E I W
W I X C X R G X U L G Q H C Y T X
O W B I T R A V E L L I N G G M F
```

TRAVEL
TRIPS
VACATION
WORSHIP
WREATH

TRAVELLING
TURKEY
WINTER
WRAPPING PAPER
YULE

95

```
I  Y  K  O  B  D  M  G  U  X  K  C  U  W  R  J  Y
S  G  Q  C  P  M  J  Q  X  X  Q  C  A  E  H  B  Z
X  A  R  T  I  F  I  C  I  A  L  U  S  J  V  B  Z
L  Y  U  L  E  T  I  D  E  N  V  W  H  S  G  A  R
H  E  B  I  B  R  E  S  N  O  X  Y  O  M  K  G  O
N  A  L  M  Q  B  J  V  U  B  I  R  T  H  D  Q  N
F  K  U  E  S  S  G  Y  T  G  K  I  E  D  E  E  R
F  F  S  S  T  U  R  K  E  Y  K  E  J  G  K  E  A
S  S  T  L  Z  W  D  E  U  Q  H  G  O  Y  T  Z  D
F  J  E  A  N  G  E  L  K  M  F  U  L  N  E  G  D
S  W  R  R  S  G  I  V  A  C  A  T  I  O  N  O  A
M  I  Y  Y  A  R  U  Q  F  N  Y  W  L  Z  H  C  M
L  C  J  J  Z  B  D  S  T  S  S  F  T  D  V  H  V
J  C  F  N  P  P  O  Q  M  C  C  M  W  E  V  J  U
J  W  J  U  W  U  L  O  G  D  Q  D  F  H  L  S  F
B  L  I  Z  Z  A  R  D  T  R  U  K  W  F  J  I  D
N  Q  V  M  W  K  A  N  D  S  Q  R  Z  D  Z  J  K
```

ANGEL
BIRTH
BLUSTERY
TURKEY
WINTER

ARTIFICIAL
BLIZZARD
BOOTS
VACATION
YULETIDE

96

```
K C N W B V E T X X Y G D O S A M
Q A T D I W P S Y D B O X Y P R E
X N Q Y I C I Y D Q S A V I D A V
O D Y O X V O N B F R M M R M C S
G Y L Y O R O S T O S K A C O R W
M C O K P H R C V E U C F V X O V
C A H D C A N D L E R G Y R B G R
S N L A L P A O G Z Y Y H Q Q M C
V E Y C O A O U R G Q Y O A V U J
X R T A F E H G Z T V C Q X X O B
T C M K J Z N Q X M B M S O U V O
U A C U S U O F Z U Q M A W U Z V
R R B L F Y Y A W W J E G M J Y H
K G T V T Q S C C O E D H C I A S
E X H J Z A G A A V R J Q G N Z B
Y O Y O B M U P N Q J I I Y L Z V
Z Y R N L V A C A T I O N J R K U
```

BOUGH   BOW
BOX   CANDLE
CANDY CANE   CAP
CARD   TURKEY
VACATION   WINTER

```
H A W B N U U X S D Z V F N Q D P
Q F C L A N M M H J D C O T N C C
Q X I Q I N K E K S T I A S B E A
G M M Z S L O P R Z T B O W L F R
R Q N K H J S E F A E F I D I E O
W X G L L L L U R Q K N Z U Z C L
Y E O S O O E B S E K H W P Z Y I
F U M R R A E Y Z V R V V T A Y N
Y Q A A Q L J N Y G Y O K Y R R G
T C C L E V Q T L N E N G A D U K
A R F C C W I F O K X Z E L T O G
M W C E Z R G M T N H A H C V D N
F P C X A T E C H I L L E D H I V
G D D H S R T D E C S X H T X G E
S B C U E R W W Q R M K R D G R T
O Q F C X A H D U Q V I Q M G V N
Q C H E S T N U T S B Y O G A O Q
```

BIRTH
CAROLERS
CAROLS
CEREMONY
CHESTNUTS

BLIZZARD
CAROLING
CELEBRATION
CHARITY
CHILLED

98

```
K P H M K S F Y Y O A W V T Z E S
J C H R I S T M A S E V E F Q A R
P B C A W F T Z Z N B W O B M L P
I Q C I D E R J B U Z S Y T E Q X
Q C Q O F B T D X R D L S D K D Z
H O F H T A O O X N L I I S R G U
R O P P D L E D A I R T G A S L H
E K F Z B K E T H H S O C C H P Z
R I T Y I V S C C A R S D P K S L
V E G Q K E H B M K A W R G V V H
B S I K E B M T W M B E X P C D C
M O J R J M S J T L B K O N N D A
D E T O Y I X S A M Y M L T Q J R
B Y G U R Y I O E I S E Z R G C C
Y T D H C R C C I P Q D J P C C X
J K C Q H H E W W S P F J L O O N
K W L C H D X R P J T I Q Z N I V
```

CHILLY
CHRISTMAS CARD
CHRISTMASTIDE
COAL
DECEMBER

CHRISTMAS
CHRISTMAS EVE
CIDER
COOKIES
TREE STANDS

99

A	I	X	Y	S	B	D	I	S	P	L	A	Y	C	G	K	B
Q	C	A	M	K	Z	X	T	H	U	E	K	W	X	X	H	C
P	E	V	E	N	I	N	G	A	E	N	W	P	G	M	P	X
S	C	L	Z	G	I	R	C	T	B	L	I	Z	Z	A	R	D
H	C	H	W	V	Y	Y	A	M	Y	U	I	L	J	F	M	Q
G	A	P	M	N	W	R	F	N	R	D	N	J	T	F	H	J
Q	N	E	N	W	O	Y	J	E	V	E	X	Q	O	D	R	H
Q	D	N	V	C	F	I	L	G	W	B	N	I	H	Q	W	A
N	Y	M	E	E	N	K	U	H	S	I	W	X	N	J	D	Z
J	C	D	D	Z	R	E	P	M	O	R	M	F	L	S	S	Z
E	A	U	E	N	L	G	T	J	P	T	T	B	C	U	E	V
V	N	N	S	D	R	X	R	S	Q	H	N	V	V	B	L	O
Y	E	Q	N	N	F	G	E	E	T	S	A	N	Z	C	F	U
D	D	A	B	Q	H	R	V	N	E	S	N	R	P	T	T	N
O	C	Q	D	V	R	Z	M	Y	J	N	V	O	S	F	C	G
G	Q	X	F	F	E	Z	T	T	A	Q	K	F	Z	F	S	Z
C	C	V	C	D	Z	Z	P	T	H	A	P	H	R	D	B	D

BIRTH
CANDLE
DECORATE
ELF
EVERGREEN

BLIZZARD
CANDY CANE
DISPLAY
EVE
EVENING

100

```
F  F  G  R  F  J  A  Y  C  X  O  J  C  T  D  T  D
U  Y  A  C  R  E  R  Y  X  M  W  D  M  G  Y  R  B
G  I  N  T  Y  F  L  X  X  F  J  X  T  G  E  E  B
U  L  N  Z  H  I  E  I  I  K  U  C  K  A  X  E  W
Y  T  N  Z  M  E  Y  O  Z  I  L  L  F  H  C  S  A
E  Q  U  A  N  Q  R  C  N  N  I  H  L  O  H  T  R
F  X  F  F  B  Y  B  C  H  F  A  L  W  I  A  A  G
E  F  F  X  I  I  G  L  H  K  B  V  Y  T  N  N  M
S  E  F  N  C  R  I  E  I  R  T  I  I  J  G  D  K
T  A  A  E  I  F  E  A  K  Z  I  I  R  D  E  S  V
I  S  D  N  R  V  Z  P  T  I  Z  S  Q  T  A  L  C
V  T  E  X  W  Y  S  D  L  K  I  A  T  T  H  D  H
E  E  W  T  R  X  U  L  B  A  C  Q  R  M  A  B  Z
I  D  X  L  J  U  Y  G  H  M  C  K  N  D  A  B  J
O  R  S  F  X  Y  V  Q  U  O  H  E  E  G  I  S  S
R  B  B  C  W  C  B  C  F  L  N  Z  A  P  O  B  P
H  G  H  K  F  P  F  D  G  K  D  S  U  D  B  A  D
```

BIRTH
EXCHANGE
FATHER CHRISTMAS
FELIZ NAVIDAD
FIREPLACE

BLIZZARD
FAMILY
FEAST
FESTIVE
TREE STANDS

Solutions

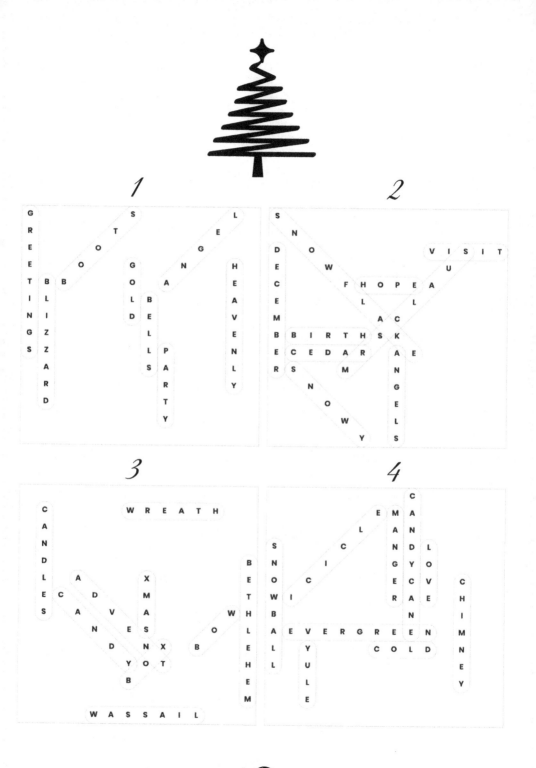

5

Y
S R
E T
V N
L I
E W
F I R E W O O D F R U I T C A K E   F E S T I V A L
C O L D S   S N O W
M Y R R H
D E C O R A T I O N S

6

D E C A N D L E   M I S T L E T O E
D E C O R A T I O N
R H A M
M I R A C L E   E G G N O G
C O O K I E
D R E S S I N G
D E C O R A T E
P A C K A G E

7

O R N A M E N T S
D I S P L A Y
G O N G
I N G
F G T
F A M I L Y   G E
J A C K F R O S T   F E A S T
E V H
E U F R O S T Y
G

8

G I F T G I V I N G
R E H O P E
C E T E L F
C A P T I C I N G
H A P P Y   C A R D U E S
F E S T I V E T

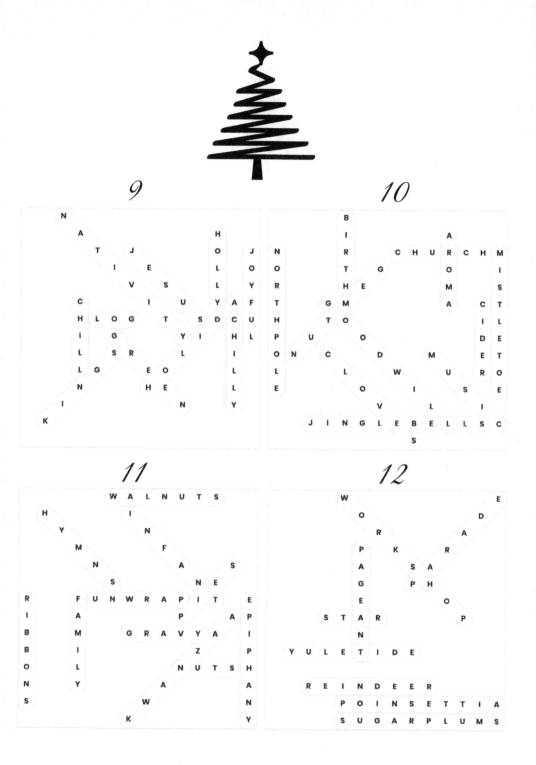

9

10

11

12

13

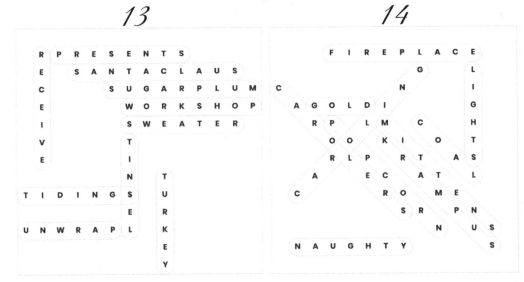

```
R  P R E S E N T S
E        S A N T A C L A U S
C        S U G A R P L U M
E        W O R K S H O P
I        S W E A T E R
V        T
E        I              T
                        U
T I D I N G S           R
         S              K
U N W R A P L           E
                        Y
```

14

```
          F I R E P L A C E
                  G           L
C                 N           I
A G O L D  I                  G
  R P  L M   C                H
  O O  K I O                  T
  R L  P  R T A               S
  A    E  C A T L
C      R  O   M E
          S   R P N
              N   U S
N A U G H T Y         S
```

15

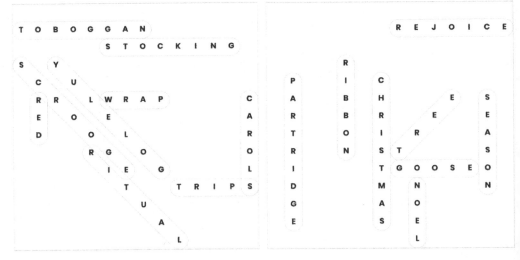

```
T O B O G G A N
         S T O C K I N G
S   Y
C   U
R   R  L W R A P           C
E   O  E                   A
D   O  L                   R
    R  O  G                O
    I  E  G                L
    T                      S
    U     T R I P S
    A
    L
```

16

```
                    R E J O I C E
         R
P        R        C
A        I        H           E       S
R        B        R      E            E
T        B        I      R            A
R        O        S                   S
I        N        T                   O
D               M  T G O O S E O       N
G                 A      N            N
E                 S      O
                        E
                        L
```

17

```
T
R   R     W                    T O Y
I   E     I   N   E
M   U     V   N   N   T
M   I     V   A   O   I   E           H
I   N     A   O       R   G
N   G   E A   K       N   I   F
    G   A   T C       E   I   F
    N   T   C I       L   E   R   S
    I   N   O N       L       P
P       I   N O S                 I
    T       N         R
    S                             I
T   R   A   D   I   T   I   O   N     T
```

18

```
        C
        H                 J
C       I         I   J   O       P
E       L   M     O   O   Y   L   I
R   M   I   I     N   L       E   E
E   I   S   N     C   L   P   H   Y
M   N   T   C     E   A   R   Y
O   C       E     P   I       A
N   E       N     I   P   P       R
Y   P       I     E   P   Y       I
    I       P                     T
    E                             Y
```

19

```
    S
    O
        C   W   I   S   E   M   E   N
        K
        S
S   W       E             W       P
N   I       S   T         O       I
O   S   A   N             N       N
W   K       H   O         D       E
F   S                 W   E       T
A       S   L   E   D     M       R
L                     A           E
L               S H O P P I N G   E
```

20

```
R Y P C D V I B D Y M N D B X D H J E X
T Z Q E O G Q Y W S T O C K I N G P T N
C J W W J Q J Q T E B R H F E V B K S L
U L N V P R Q B A T N E X A Y J Y H A B
T L A L R M D R F N S D Z C H A G D D Q
Q V D O E D K X A J M E X W B M K K G A
I J D G S P C T Y F G N I O W H T X D P
C D M K E E Y A T Z K O S D O U P U J F
L E Z B N D B O Q D M J K E U C U L O Z
A I Y D T Q L I E D K Y B Z B S X B D I
V I A L S Z E B M N B C A K S G H G R J
M B R H G U S N R T K X W S H G H R J
P D I R B F N I T P F V L W D T N E I T
X H E U L Q I T L O S W Q Z G P G W H E
N C S A C K T G I Y X K O R I Z E W L A
R Q P N Y M X R T X V V K L L V G U R G
S L C E F A U B E Z B U K Q B D R P E W
T Q O E E H W I R S B X T N R I C T A V
I N V T O A Y P R W O N U P U Z B S M I
Q M E P X K F W P H P L O D U R L S R V
```

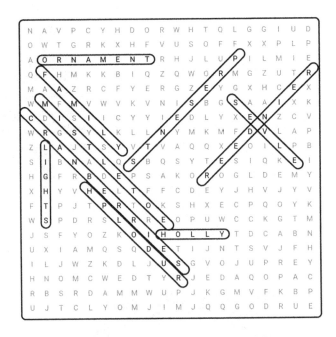

21

```
N A V P C Y H D O R W H T O L G G I U D
O W T G R K X H F V U S O F F X X P L P
A O R N A M E N T R H J L U P I L M I E
Q F H M K K B I Q Z Q W O R M G Z U T R
M A Z R C F Y E R G Z E Y G X H C E X
W M F M V W W V N I S B G S A I K
C D I S I I C Y Y I E D L Y X E N Z C V
W R G S Y L K L L N Y M K M F D V L A P
Z L A J T S Y V T V A Q Q X E O I L P B
S I B N A L Q S B Q S Y T E S I Q K E I
H G Y V H E L T F F C D E Y J H V J Y V
X H P J T J T P R T O K S H X E C P Q O Y K
F T P D R S L R R E O P U W C C K G T M
W S P D Y O Z K O I H O L L Y T D C A B N
J S F Y O Z K O D E T I J N T S V J H
U X I A M Q S Q D T I J N T S V J H
I L J W Z K D L J U S G V O J U P R E Y
H N O M C W E D T Y R J E D A Q O P A C
R B S R D A M M W U P J K G M V F K B P
U J T C L Y O M J I M J Q Q G O D R U E
```

22

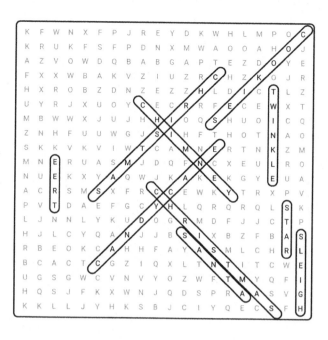

23

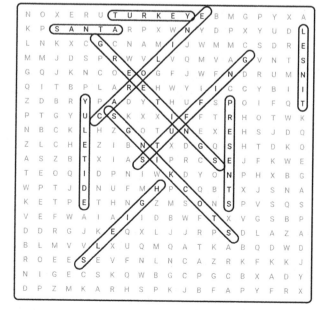

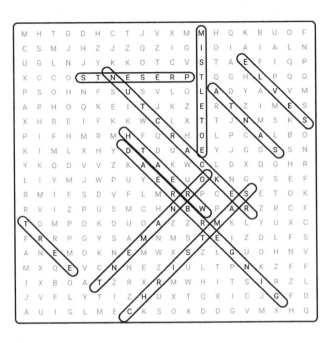

24

25

26

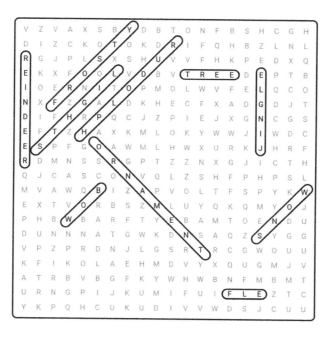

```
V Z V A X S B Y D B T O N F B S H C G H
D I Z C K O T O K D R I F Q H B Z L N L
R G J P L S X S H U V F H K P E D X Q
E K X F O O L V D B T R E E E L E P T B
I O E R N I T O P M O L W F L L Q C O
N X F Z G A L D K H E C F X A D G I D J T
D F H R P Q C J Z P I E J X G N C G S
E T Z H A X K M L O K Y W W J I W D C
E S P F G O A W M L H W X U R K J H R F
R D M N S S R G P T Z Z N X G J I C T H
Q J C A S C O N V Q L Z S H F P H P S L
M V A W Q B I Z A P V O L T F S P Y K W
E X T V O R B S Z M L U Y Q K Q M Y O J
P H B W B A R F T Y E B A M T O E N D U
D U N N N A T G W K D N S A Q Z Q G U U
V P Z P R D N J L G S R T R C G W O U U
K F I K O L A E H M D V Y X Q U G M J X
A T R B V B G F K Y W H W B N F M B M T
U R N G P I J K U M I F U I F L E Z T C
Y K P O H C U K U D I V V W D S J C U U
```

27

```
R H P R E S E N T S M H D P C M U S M C
C A D O F R V J B K D A H R J P B J B F
X E M E Y B F V D U V Q X N I Z D I R U
Q Y R F N W U V U C O O K I E S K Q S I
R G D B C Y C T R P Z T M N O V K M T K
T J Q E S V E M I L K R O F S I A I F W M
C Z K U C U K H O Q T Y X O K O J B L J
H X A M X O F D G X N O M E T A C N D J
R M I Z L D R V A H P C X A E A L T D O
I E V M L D A E X Z J F O N F S C O I
S Q S N S C F V T J T O H D S F M C A L
T A K J R R H S I S T Y K F G T Z Y G
M H B D I F O E D Q C W L M A L E N C
A O O E V V I Q C S A N M L M F M I F T
S I N P R C J P N L F S T K B P I J B
Z D Q B H A E G E M V Q B D P N J L R Y
S H A Q O T A S I G H K E Q O L P Y N Y
G Z Y I N Z A K L M E O J H I G U Y R I
F I I L J P T Q S F S N F Z U O C H
J R I W E G B Q O S X J U O X U U X Q Q R
```

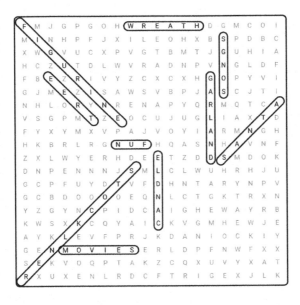

```
F M J G P G O H (W R E A T H) D G M C O I
M I N H P F J X I L E O H X B  S  P D B C
X W G V U C X P V G T B M T J  G  U H I A
H C Z U T D L W V R A D N P V  N  G L D F
F B E Z R I V Y Z C S W S B P  O  S Y V I
G J M E Z I S A W S N R E N A  S  Q S J T I
N H L O R Y N R E N A P Y Q S  M  Q T C A
V S G P M T Z E O C U J U G L A R M T D
F Y X Y M X V P A J V O Y I A R M N G H
H K B R L R G (N U F) H Q A S H A V N F
Z X L W Y E R H D E E T Z D S M D O K
D N P E N N N J S M L C L W U H R H J U
G C P F U Y D T V F D H N T A R Y N H
G C B D O O O E Q N L C T G K T R X N
Y Z G Y N C P I D C A I G H E W A Y R B
K W S X K C Q Y A I C K V G M H E W J E
A Y K L E V F P R J K D A N I O C K I Y
G E N (M O V I E S) E R L D P F N W F X X
S E K V O Q P T A K Z C Q X V V Y X A T
R X U X E N L R D C F T R I G E X J L K
```

```
E D D E G X C U E D R V Z F O U R M D J
X X A D V Z M O W X Z V S P (R I B B O N)
B V O W K J T S P G S L F S B E P F J B
D M Z R B E R X T L L X E E Y L Y C J U
W B N Y L Q L J I E L N A G F K T I J G
H D Z T B I X I B A O L P C O G N J Q T
I K S A I Y C V Q C W W R S X M S A G L
W I S H B I J Y E E E L E N B B Z X U Q
M U T S G K P N Y R X S Q J I L W F C
C N X R J I I A H Z Z S D G W Z B V R
P U R I X P (O R N A M E N T) K O P Z
C K V J R S J U N G D G R W U R V R G
R J M O N Y K L A E S Y V K K E O V
F M E C Y Q L (R E K C A R C T U N) A D
I L I T H I E R T G F P U C M D D H Z
F E S W G A S B M P F C V H R G V P L
B K A H Y E N V W T I C S N S O D S N
X Z T X J I O N W C Z U Z W J D L M P
R S D L P O T K R X G R Z X V H B T Z B
L C S A D E W G Q I B D I M A J O L J N
```

30

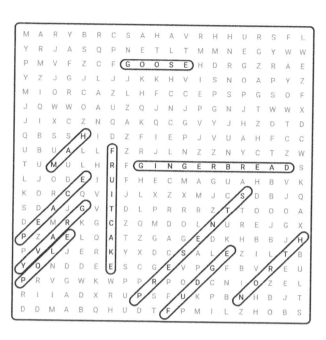

```
M A R Y B R C S A H A V R H H U R S F L
Y R J A S Q P N E T L T M M N E G Y W W
P M V F Z C F (G O O S E) H D R G Z R A E
Y Z J G J L J J K K H V D S N O A P Y Z
M I O R C A Z L H F C E P S P G S O F
J Q W W O A U Z Q J D J P G N J T W W X
J I X C Z N Q A K Q C G V Y J H Z D T D
Q B S S H I D Z F I E P J V U A H F C C
U B U A L L F (F H L N Z Z N Y C T Z W
T U M U L H F R (G I N G E R B R E A D)
L J O D E I F U H E C M A G U A H B V K
K O R C Q V I T J L X Z X M J C S D B J Q
S D A J G V C D L P R R R Z T T O O O A
D E M R K G C Z Q M D O L N U R E J G X
P Z A E L O A T Z G A G E D K H B B J H
P V L J E R K Y X D C S A L E Z I L T B
Y O N D D E S C G E V P G F B V R E U
P R V G W K W P P P R O D C N I O Z E L
R I I A D X R U P S F U K P B N H B J T
D D M A B Q H U D T F P M I L Z H O B S
```

31

```
Y P (L I G H T S) V Z B W Q F H F L T N N
T Y P F Z A U F O Q X B O B H G T E E A
U J V H J P (S T O C K I N G) K P S B E H
G Z L D X D I H X V X K M M O D L Q R Q
W M A W R A F H I S B A B K Y D I H U V
L W E T G N L R T W A J G T Z E L C W B
Q K M L X E U N W A V R P R P J L I Q
O O M L J O Z S S J E P H E E K J T E T
Z B X M W Q L C U O M R W B E Y M N H B
Y V T K C Q H E X F G B W B I G I D L Y
C W C T S I P X R O U L U O I B V P K A
H U P S M L U M R N Y N Q M T S M S P K
X F N R Z S N J N A Y R W D F G B A S
D N E U S W A P B X X Z Y R W T C S L F
Y Y T Z I M M A N I C P A P C C K O T I
L W Q E E H A T G O W C B D Q R I C Q T
Y U L N E G P D N U (F I R E P L A C E) E
D X T U E U L Q B J I V (S L E I G H) V O
E S O B N F F A P E H (P R E S E N T S) O
Q C B U Z K L O D T J S U A U C E G F D
```

32

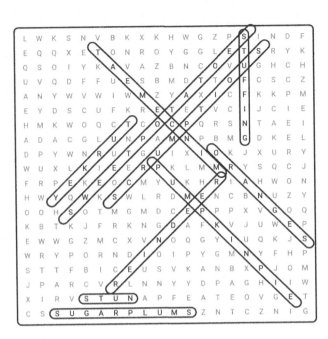

L	W	K	S	N	V	B	K	X	K	H	W	G	Z	P	S	I	N	D	F
E	Q	Q	X	E	T	O	N	R	O	Y	G	G	L	E	T	S	R	Y	K
Q	S	O	I	Y	K	A	V	A	Z	B	N	C	O	V	U	F	G	H	C
U	V	Q	D	F	F	U	E	S	B	M	D	T	T	O	F	F	C	S	C
A	N	Y	W	W	V	I	W	M	Z	Y	A	X	I	C	F	K	K	P	M
E	Y	D	S	C	U	F	K	R	E	T	E	T	V	C	I	N	J	C	I
H	M	K	W	O	Q	C	T	C	O	C	P	Q	R	S	N	T	A	E	I
A	D	A	C	G	L	U	N	P	A	M	N	P	B	M	G	D	K	E	L
D	P	Y	W	N	R	U	T	G	U	I	X	I	O	K	J	X	U	R	Y
W	U	X	L	K	I	E	E	R	P	K	L	M	M	R	Y	S	Q	C	J
F	R	P	E	K	E	O	C	M	Y	U	K	H	R	I	A	H	W	O	N
H	W	Y	Q	W	K	S	W	L	R	D	M	E	N	C	B	N	U	Z	Y
O	O	H	S	O	T	M	G	M	D	C	E	P	P	P	X	V	G	O	Q
K	B	T	K	J	F	K	R	N	G	D	A	F	K	V	J	U	W	E	P
E	W	W	G	Z	M	C	X	V	N	O	Q	G	Y	I	U	Q	K	J	S
W	R	Y	P	O	R	N	D	I	O	I	P	Y	G	M	N	Y	F	H	P
S	T	T	F	B	I	C	E	U	S	V	K	A	N	B	X	P	J	O	M
J	P	A	R	C	V	R	L	N	N	Y	Y	D	P	A	G	H	I	I	W
X	I	R	V	S	T	U	N	A	P	F	E	A	T	E	O	V	G	E	T
C	S	S	U	G	A	R	P	L	U	M	S	Z	N	T	C	Z	N	I	G

33

E	V	N	A	P	D	I	W	S	K	H	N	Z	I	X	K	N	H	I	F
C	B	K	A	J	O	K	S	Y	W	O	H	W	X	V	Y	C	X	J	P
D	J	S	Q	H	J	Z	F	I	B	Z	N	W	S	K	F	X	P	N	H
E	C	C	I	E	Z	G	L	B	W	O	E	H	I	V	N	L	L	I	G
R	Q	K	O	M	Z	J	J	C	S	Q	X	R	X	R	E	T	N	I	W
L	H	N	F	R	V	R	R	Z	T	O	I	D	B	A	P	D	J	E	S
I	T	V	A	J	V	E	C	M	E	O	K	Y	K	C	Y	V	P	A	F
P	R	T	F	I	W	L	N	E	J	I	Q	Q	O	J	U	I	D	L	N
E	S	V	U	C	H	I	L	L	Y	R	Z	Q	O	T	G	E	T	N	Y
N	M	J	D	A	Q	M	Q	E	A	H	Y	S	V	K	B	P	G	Z	Z
G	Y	T	Q	H	D	D	K	E	G	H	O	E	Y	L	J	I	H	U	Z
U	H	L	W	L	G	A	B	F	D	U	C	L	D	L	K	Y	X	R	
I	E	V	R	K	L	R	N	W	N	C	S	O	L	Y	S	T	O	K	
N	P	H	Q	F	A	H	A	H	I	S	V	D	C	G	Y	H	S	S	Y
L	D	Q	W	L	Y	B	M	I	R	F	W	E	S	T	O	I	D	F	
A	S	O	O	N	Q	T	W	T	H	G	M	E	Q	O	D	Q	I	S	
T	N	P	F	V	V	N	O	E	I	D	M	J	O	T	S	O	F	C	
S	P	E	K	G	P	Y	N	X	A	W	J	K	O	Y	R	U	T	E	H
Q	J	Q	J	N	O	R	S	E	S	E	Q	U	T	L	W	Q	C	K	I
W	S	T	S	B	P	D	U	A	J	M	Q	Y	P	Z	G	D	E	Q	U

34

```
P C T S O F F W C J B H S P W F G P T S R
U D B H V Y I F L Z Y F R C R O X C V S N
H S V Y E N D Q U C Y H L N O O I Z G Z
F O A Q M I J M F B U H H M S S M Y I M
K I U G I L P Q X W V T X O C T A V W F F
D R V X H L L O A D P Z X W C W T G S C R
V N C P A C A M U O F A E S I A E B G B
M E E M E H I Z C Q O M T B E E X Z M
G A D U B K V V K P J Q N A L B E E X Z N B
Y T M P D V K V V K P J Q N A L B E E X Z N
T N U U N H B R X K A C V N W R H K S A S
O R S O O O E H C N I R G C K O G A S D
S E T M K H C P N A H O Q R E A I X B
O B R R V G A G O S J P M A P U Q S M
X H T C W O B F V I Z T V H Z M E L I C
L K V N G K T R K Q J S S L O F W S N
E E P F U W H O T C H O C O L A T E A U
N V F Q H E C B F L M W N J C M T U N H
M Q N Z M C C V E L L I V O H W D B I H
V M H D E J P Y W O M J X Q A Y A D I E
```

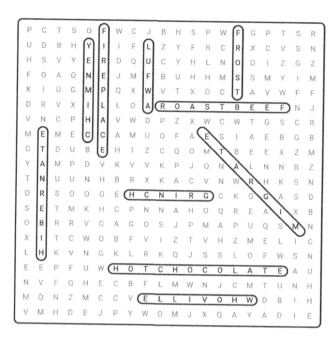

35

```
S N O I T A R O C E D E O Q N Y W U Z L
X B R R H C Y L W W S Y O V C A S Y V I
Y C W A R X V J I S O W S O W F W U U
M O G Q Z W S P R T W P I E P D G F T Q
T X Y J B X Y P H N R I L A J S H Z
D U G T C J R G X E C O T K Z J N D
W J X U R U I C S O L C O O S P X W S
L Q M S S F H E F B E H D O I R G R E M
D E I V D Z N Q T R E E P C J Y E N I N
V B G C R T F U F H L Q I E M A G E R G
U N I W S C C H K T D J R X T N R N F C
W O V I V J H U O Q S L H E U W O X G
E R S L G J R O L F K Q Y L A R V M K
L N Z X G C B C I X I R O G A X H B P W
K A U G E E X R D S I D E U O E L J D M
U M U P J O L D A F T Y A L N M L L L N
F E X T F J A X R Y J M M Y W E A G
M N R B L D U P O L B P A X Y T C A I
I T D V V W G Z B K X U C S S D G X C
U S Z D F G X S E M Q K Q W Q S Z N Q N
```

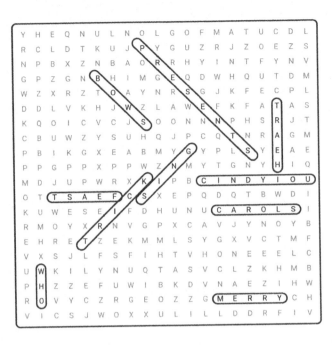

36

```
Y H E Q N U L N O L G O F M A T U C D L
R C L D T K U J P Y G U Z R J Z O E Z S
N P B X Z N B A O R R H Y I N T F Y N V
G P Z G N B H I M G E Q D W H Q U T D M
W Z X R Z T O A Y N R S G J K F E C P L
D D L V K H J W Z L A W E F K F A T A S
K Q O I C V C J S O O N N P H S R J T
C B U W Z Y S U H Q J P C Q T N R A G M
P B I K G X E A B M Y G Y P L S Y A E
P P G P P X P W Z M Y T G N Y H I Q
M D J U P W R X K I P B C I N D Y I O U
O T T S A E F C S X E P Q D Q T B W D I
K U W E S E I F D H U N U C A R O L S B
R M O Y X R N V G P X C A V J Y N O Y B
E H R E T Z E K M M L S Y G X V C T M F
V X S J L F S F I H T V H O N E E E L C
U W K I L Y N U Q T A S V C L Z K H M B
P H Z Z E F U W I B K D V N A E Z I H W
R O V Y C Z R G E O Z Z G M E R R Y C H
V I C S J W O X X U L I L L D D R F I V
```

37

```
P O I K I W E S S E H A L N M L T Z H J
L H J H P U J K V P K F S D U T M C I E
A E O C S X K S X Z O Q I M H Y H V I C
Y Q B M V R T Q T G H D U P A M M C M E
H A S I V N Z V G W P M T M B R H F G V
K D D Q Z C E V P L Z W R T M K X Y Z
Z M R K C V Z O N L E U H S S C J L A
E G P W I B X N K Y C G I J X N F O L
O U F T D N S S E O G Q N B L Z P P B
J H S G L L D J K I H X R X A U Q G V G
E E T B Y I U T O D L I E L E J U V N C
F Y P N S S G F E L A D E S J J R D F T
T Q K E Y Y B O Y G L Y J I N G L E F
O K G L A D V E R O M Y O S T H G I L
U G D O D U T R L I J E N L R X R F K U
J M Z T Q Z D U X L F P G W W Z A L Y N
N C K O K G D U F M S M S C I L I Q V E
Z K R W J U K G Z Y G V I O H H Z K V W
O F H I T B R K S K P Y Q V U V J I W Y
S V E F A O N V X T C X G Y Z D K N W V
```

38

39

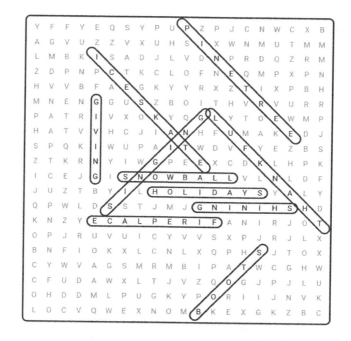

40

```
N I C E N E C R E E D
H E U C H A R I S T
C C     A       Y
H R     N T N O I G I L E R
R R U I A H J       R
I   I H N I O U       U
S   S C C T L D       T
T     T   A S I A     I
O   M   E   R I C I   L
L     S   N   N R I S
O       I   D   A H S M
G       T     O   T C M
Y   E U R O P E M   I
    S U S E J A     O
            B       N
```

41

```
N   O L D T E S T A M E N T
E       T U
W   G N O S T I C I S M
T       E I H   J
E       L R E   E
S       B H R   W
T   A N G L I C A N I S M
A       B   N   S
M   M S I D O H T E M       H
E V A N G E L I C A L
N   N A C I L G N A
T       S A C I R E M A
M S I N A R E H T U L
        M O N O T H E I S M
    T N E M G D U J T S A L
```

42

```
G N I H S A D   B Y C N A F
B           M       R
  R   C   B E A U T I F U L F
    E   A       Z       S   A
S   C A A N G E L I C     K   N
  U E A T   D F X   N       T
    O V R H   L A C   G       A
    L I O T L E I I           S
      U T L A U L T T         T
        B A I K F I H I       I
        A R N I S T F N C
        Y     F O G N S   U G
G N I L Z Z A D C   G I   L
E L B A Y O J N E E     L
      E V I T C A     D     B
```

43

```
  M Y S T I C A L
I   L S U O L U C A R I M
N   L U F E P O H
    T   F S     V A
G   N E   Y U     E P E I
  R   E R N O O H   L P C
    A   D E E J R S   Y Y I
    C   L S E M E I         N
Y P P I N O T R E N V
    Y L O H G I G R E A T
      L   U   N N   R G L
        L   S   I G   Y
          O       V
              J M A G I C A L
      T N E C I F I N G A M
```

44

							D		S					
	L			L			D	E		P				W
T	U		M	R	A	W		E	R	E				A
L	E	T	F		S	G	N		K	C				R
L	U	R	N	E		U	N	I		I	A			M
E	A	F	R	A	C	L	O	I	G		A	P	S	H
L	N	H	I	H	A	A	I	X	I	L			S	E
	B	O	S	F	P	E	U	G	A	R			A	R
	A	S	I	I	M	P	T	I	L	O			A	R
		K	A	W	C	U			I	L	E			T
		R	E			I				R	E	R	E	
			A	S			D	R			I	R	D	
	C	I	L	O	B	M	Y	S	E	T		P		
	E	T	I	H	W	D	E	T	I	R	I	P	S	
S	P	A	R	K	L	I	N	G	R	S	N	O	W	Y

45

B										H					
A		N	T						T						
B	P		O	N							R				
Y	E	P	T	I	E	D	R	A	Z	Z	I	L	B		B
		L	R	N	T	V							B		
		L	E	E	A	D							E		B
			S	C	M	P	A	M	O	R	A	W	E		
				G	I	E	I	N				U			T
				B	N	A	C	C	G			T			H
		F			A	A	I	T	N	I	E	Y			L
				E	K			L	S	I	U	T	L		E
N	E	Z	T	I	L	B	S	S	O	O	N				H
					N	L				A	E	N	N	A	E
					G		E			M	L		N		M
G	N	I	G	N	O	L	E	B					B		A

46

				C	E	L	E	B	R	A	T	E	
	S		T		N	C	C						
		T	B	L	H		P	A	C	A	R	O	L	S
		O	B	E	G	Y	N	C	A	R	I	N	G
		X	O		O	I	D		Y		O		
			X	B	S	N	L	N		D		L	
			I		R	E	E	A			N		
			N	Y		E	D	L	C		A		
			G		R			L	E	D			C
	C	E	D	A	R	E			O	H	N		
			A	R			T		R	C	A		
			Y		A		S	W		A	U	C	
G	N	I	L	O	R	A	C	H	G	U	O	B	C	B
									L	B			
			T	E	F	F	U	B					

47

			E		Y								
			C	I		N	E	R	D	L	I	H	C
			E	H	K	H	O				L		
			L	T	A	O	C	M	T			I	
			E		A	R	O	R	E	E	H	C	H
			B		D	L	I	C	U	R	M			C
R			R			R	O	T		H	E	O	
	E		A		C		A	C	Y		C	C	C
		D	T			O		C	O			H	
C	H	R	I	S	T	M	A	S	L	H		I	
		O	C				L		O	C	M		
S	T	U	N	T	S	E	H	C			V	N	
			C	O	M	F	O	R	T	E			
			C	O	M	M	U	N	I	T	Y	S	

```
      C R A N B E R R I E S
S S     E Y   D R E A M   D
  L   D     C A     N     R
    L   W A E N L     N   E
D     O   O I I A P     O I
R     D   R P K D S       D
E D     A   C O O K I N G E
S O G N I T N U O C O   D L
S N E T A R O C E D U C
I A     D     I     N
N T       A     N     R
G I       S     G     O
  O           H         C
  N     R E B M E C E D
  S     S N O I T A R O C E D
```

```
                F E
            E       Y L I M A F
G H     M           V E V E
N   T   B           E
E I   I   R         S
X T T   A   E
P E R A C F   G
E P N O E M M A N U E L
C I L T F G       A
T P   I E F G       H
A H     A R E N     C
T A     M T   O       X
I N       E A   G       E
O Y     R A I L I M A F
N E V E R G R E E N
```

```
        T S A E F
F F L A T B R E A D
D R F   L   D O O W E R I F
  A U I   A     V
G N D I R L G   M R
A K   I T E A R S O E
T I   V C P V E D D F
H N   A A L I H N E
E C     N K A T T E E
R E     Z E C S A I R
I N   F E S T I V E E G R F
N S Y T S O R F   L     F   F
G E     P I H S D N E I R F
  S S E N E V I G R O F
        D N A L R A G
```

```
  G R A T I T U D E C A R G
    G I F T L I S T
    E G E   T   L L I W D O O G
G   G I N G E R B R E A D
I E   N F E   M
V N   A T R   R
E   E   H G A   U       G
    X   R   C I T   O G O L D
    O   O   X V I   G     I
A     B   S   E I O       T
  I     T F I G T N N     T
    R     F   T   F G S E
E S O O G     I   Y   I   R
    L     G           G
    S G N I D I T D A L G
```

52

T							N					
	S							E				
Y		E	H	A	M				V			
G	R	A	V	Y		D	N	A	L	T	R	A	E	H
	E		R								E	
S		N	Y	A	D	I	L	O	H			H
	G		E		H	A	R	D	S	A	U	C	E
	N		E	H	A	K	K	U	N	A	H	R
		I		S	R		P					I
	H	T	T		N	G		P				T
	E	C	S	E		E			I			A
	A		N	E	E		E			N		G
	R			I	U	R		R			E	E
	T	P	U	O	R	G	G		G			S
	S	D	N	A	H	G	N	I	D	L	O	H	S

53

	N		R	E	D	I	C	T	O	H		
		O		O	H		C			U		
			I		N	O		I		G		H
I	N	F	A	N	T		O	M		C		U
D	N				A	S	H	E		L		M
	R	N	I			N	S	O	P		E	I
	A	O	C		N	N	I	E	L	O		C	L
T		W	C	E		H	Y	M	N	L	H		I
S		S	E	E	S			U	I	Y		T
	O		S	M	N	K			L	L		Y
	H		E	O	C	A			L	O	
		T	H	E	T				I	H
		S			E			V	
I	N	V	I	T	A	T	I	O	N		S	Y
	E	T	A	L	O	C	O	H	C	T	O	H

54

			L		H						
				I		P					
				G	R	E	T	H	G	U	A	L
				H		S					
				J	T	J	O	L	L	Y	
				E		I		J	O		
Y	L			S		N	N			R	
N	G	O	L			U		G		G		D
	R	V	J	E	R	U	S	A	L	E	M
	E				C		E				
		T		T		H		B			
			N		S	R	Y	E	N	R	U	O	J
L	U	M	I	N	A	R	I	A	L		
				L	S	L	L	I	G	H	T	S
				T		S					

55

			Y							M	
	S	E	I	R	O	M	E	M		M	I	M
T		T			A					I	N	I
Y	N		A			M				D	C	S
R	T	E		M	E		C	A		N	E	T
	E	S	M		I	M	E	I		I	P	L
	T	E	I		T	E	L	G	M		G	I	E
	S	J	R		T	C	C	A	Y	H	E	T
	S	I	A	R	H	E	N	A	M	T		O
	A		N	M	E	T	N	I	R		H	E
	G			I	A	M	R	S	M	I		S
	E	S		M	N		I			M
		S			G		M		
		M	A	N	T	L	E		
X	O	B	C	I	S	U	M	M	Y	R	R	H

56

```
P . . . . . E . . . . .
A . . Y . . . G . . . .
G . N U T G N I K C A P
E . N O I S A C C O K .
A . . . V . . . . C . .
N O S T A L G I A . . A
T B O E . . T . . . P .
R S R L . N A U G H T Y
Y E N K R O W T E N O E L
. R A . . P . N P . . .
. V M . . . H . E . . .
. A R E K C A R C T U N V
. N N . . . R . . O . .
. C T . . . . O . . . .
. E S . G E M T U N . .
```

57

```
. . . . L . E P R . . .
. . . . . L . N R E . .
. . . . . . A . O A Y .
P . . . Y . E C . C N A
P I X I E T . N E . E C R
. P E P P E R M I N T N E P
. . . E C A E P O . I R .
. . E D A R A P I . H . P
P L U M P U D D I N G . P R
E G D I R T R A P E . R E
. . . P R I E S T . I S .
P E A C E D O V E . R . D E
A I T T E S N I O P E . E N
P O S T O F F I C E . . T
. . . . . . . . . . . S
```

58

```
Y T I T N A U Q . . . . .
. . E . R E E D N I E R .
P S . . C . . . . . . . .
S U E . . H I P R O P H E C Y
. E M I A L C O R P . . R
. V P T Y . N J O . . E
Q Q I K I T . U E G . . L
. U . T I R I . P R R . I
. I I . A N O R D E R A . G
. N R . L P I U . E . M I O
. C . K . E I R P C . . O
. E . . Y . R E P E . . N
. P . . . Q U E S T I O N S
. I . . . . . . V . . .
R E F L E C T I O N E . .
```

59

```
. S E V L E S A T N A S . . S
. . G A B S A T N A S . A Y
R A U T C N A S . . N . . N
. S D H . . . T . . T . .
. A E P . . . A . . A . .
. C R L . . C R . . . . .
. K C O . L E . S . R . .
. N . A D A V . B . . . .
O . N O B B I R S U E . E
L O . I . . S R A . . . .
A T . N . . E R . . . . .
R E S O L U T I O N S D . .
V L E V E R . C . . . . .
S A L E S . R E . P . . .
O T F O O R I T U A L . .
```

60

```
      G N I R A H S E
      S S         E N
      E E         N D
S     R C         D I
  I   V U         I
  L T S I L S A T N A S
    V C C A A C   G   A
      E E R V   A   U
      N R   I   R   C
      T     O       F E
    E G O O R C S E A S O N
    S I L V E R B E L L S
      S E C R E T S A N T A
    S H O P P I N G
          D R E H P E H S
```

61

```
S T A R O F D A V I D
S T           E     D
N   H   L T       S S T       E
O   S S G   E I       T L A       L
W O N S I S G R     A E K         S
F   O O L L G N I G N I S         N
A   W S W L R N A P     D G       O
L R B     T B E A O W S       H W
L   A     A O B T S O             M
    L T       B U H S C N         A
    L   S       L N G K S       N
                  E D I
      G N I K C O T S E
    K C I N T S             L
        E K A L F W O N S
```

62

```
    S S E N R E D N E T     T
  T E M P L E E             A
L     U     M I T Y N I T   N
  O     L           A T     T N
S   B S U R P R I S E     I E T
  U   M       S R       X W N N E
    S   Y     W A   T     S B D
    Y T     S     A G S     E A D
    N I E U       R U     L U Y
    A D G N I F F U T S     M B
    G I   D A           S       E
    O N   O   N           U     A
    G G   W     C           N R
    U S K N A H T E
    E       M S I L O B M Y S
```

63

```
            D
  T R I M M I N G
  U U   T       S A
  R N   O R R L T T
  K I N B   A E E E S     G U T
  E V   O       I H V P E       R
  Y E   G I     N T A M E       U
    R   G N T T R E E R U R S
    S   A   I I           G T R T
    A   N       L D           O   T
    L       Y   K A T     Y T
    I           T   N R
  T R A N Q U I L I T Y
  Y               N P W
G N I X O B N U           U   T
```

64

```
H M . . . . . . . .
O . O . . . C N C .
U . W T . C H I L D R E N
S . H E H . P I S A
E S U O H E A E L U N I K
H . . . M P R U G D O . I
K O . . . E E E N A R C N
L . . . . N N H C E . S
D O . . . T . . T L N H
. . . F . . . . A E I
. . . . N . . . T F P L
M A R R I A G E . I
. . . . K . . . V
. . . . S I S T E R
```

65

```
. P A R E N T A G E . . . . K
R . . . . . D . N A M E I . N
. E R E H T O R B E . . . . N
. . H A N C E S T O R . . . S
E W . T L E E L G . . . D . F
. B A N O U L G P N S O N . O
. . I L O M C P A U I . . I L
B . . R Y S D N O N O L . . K
I . . . T L D N U E E C B
. S . . . I N A V P M . I
. . . . . . M A R A . . . . S
R E H T A F D N A R G
E M O H R E T S O F G
. . . S U B F A M I L Y
. . . Y L I M A F P E T S
```

66

```
. E Y Y R L E V E R
E . V A . . . . L A V I T S E F
Y M . E D V A C A T I O N
. A I C S I . S O L S T I C E
. D T E A L E D . . . . S
H . T S L M O D N . . . . E
O . C S A E T H I E . . . . . F
R N . H . A M B S L T K
E . R . . E T R I A E E
Y T I I . . F S A R G L E
M . S . L . . I T H E U W
O . T A . A . . R I C L Y
O Y M . E . W . . . H O
N Y A D H T R I B . . C N
. . S D . . . . D
```

67

```
G . . . . . . . . . W
U N B I R T H D A Y . E
. . I F S H A L L O W E E N
. . F K I R . W . . K
. . E A E E G O
. . S M L P N R
. S . W T Y D P I R
H . I . I R D O P O
L A U N N A V R A H P M
V . T Y . U I E Y S O O
U . E . U . T T M A A H T
O . R . . L . U Y M D M S
E T A R B E L E C M . U O X
C E L E B R A T I O N S S T
```

68

	C	H	R	I	S	T	I	A	N	I	T	Y
S		H	A		R				T			
A			R	P	J	E	R	U	S	A	L	E	M
V			I	O		V			I			
I			S	S		O			R			
O			T	T		S			H			
R	H	A	I	S	S	E	M	L		S			C
W					A	E		A				
J	E	S	U	S	C	H	R	I	S	T		P
		J										
	O	L	D	T	E	S	T	A	M	E	N	T

69

N	O	I	X	I	F	I	C	U	R	C		
	M	N	O	I	T	C	E	R	R	U	S	E	R
G	A	B	R	I	E	L						
	R		M	M	T							
	Y		I	S	E	E						
			R		I	H	H					
			A	J		T	E	P				
			C		U		P	L	O	G	O	S
	N	A	L		D		A	H	R			
R	E	M	E	E	D	E	R	A		B	T	P
		V	D	O	G	B	I	B	L	E		
		A	U				S			B		
			E	J				M				
		C	H	R	I	S	T	I	A	N		

70

D	R	A	B	L	A	V	S	P				
	T	C	T	R	U	E	N	O	R	T	H	
		S	I	C	E				L			
			A	T					A			
	A		N	A	E	C	O	C	I	T	C	R	A
	D	R		O	N	O	R	T	H	E	A	S	T	S
W	E	A	C	N	R	O	W	A		T			O
	E	C	L	T	O	T	R	I	T				U
	P	S	I	A	I	R	H	T	L	N		O		T
	F		T	A	S	C	T	E	H	D	A		S	H
	R			E	E	K		P	R	W	W			W
W	E	S	T		R	S	A		O	N	E	E		E
	E				N		N		L		S	S	S
	Z	T	S	A	E	H	T	U	O	S	E		T	T
	E	A	S	T	E	R	N					

71

			J	E	S	U	S				V	
			A	U	G	U	S	T	I	N	E	
			C	H	R	I	S	T			N	
N		N	E	V	A	E	H				E	
E	O	M	S	I	N	A	R	E	H	T	U	L	R
W		I		D	O	G	N	Y	P		A	
T		Y	T		N			I	T	O		T	
E			T	A	I			C	R	P		I	
S				I	Z				H	A		O	
T			E	I					O	M	N	
A	Y				D	N				L		
M		L			Y	R	O	G	E	R	G	A	
E		O	D	O	O	H	T	N	I	A	S		S
N		C	H	R	I	S	T	I	A	N	I	T	Y
T	N	I	A	S	N	O	R	T	A	P	C	

72

```
N O R A A     H O L Y M A N
    E         B E N E D I C T
  I G N A T I U S       G
      S A H C U S E N O N
      H S I S O E H T O P A
      R Y L T N I A S     P
H     I       S       I     E
  C   N Y T I N I V I D T
    U E           R     E
N O S R E P Y L O H     R A
      N O G A R A P C       L
      N O N P A R E I L
R E L I C S N B E A T I F Y
      S A N I U Q A
    P A U L D E R C A S
```

73

```
              F
              F E
S A N T A           A                 P
    Y     S V                         A
      A T     E                       T
      D       N     Y X               R
      A S       C I     U M           O
      Y     A L   C     L A N
C H R I S T M A S E V E S
                  T R E T S A E
                  S A         I
                  I           N
                  R           T
                    H
                              C
```

74

```
      Q U A R T E R D A Y
G         E       P
  N Y H     T           R
    I A O C A N D L E M A S
    V D H T D I E       S
    I I O N H D M       E
L H   N B G L H U T O R     N
  A G O O S O O H R     E     T
  V I   R X K H L D I
    R E   T D N L I L B
    E L   H A A A D I
      T S   P Y H G A W
      N       O   T E Y
  Y U L E T I D E L       L
          W       E
```

75

```
                    B
C       B L A C K I C E
H     B L A N K E T B A
I             I E T P
L       B     N R C A B
L A         L G E H O
Y   V D L O C R E T T I B O C
  D R A Z Z I L B A   M   T
    K L L I H C   K N   S
    A C B L U S T E R Y
  C I T C R A       Y
O R E Z W O L E B R I S K
            N A
            A B
```

76

```
R E C A L P E R I F T
F E B R U A R Y   G     E
I   B S D           O   V
R C O M F O R T E R   N     U
E C     E F W         G     D
W U     C U N   N         G R
O F I R E   E M C   O       E
O D   L     D R O   O       A
D R O   I     L A A   C     R
  A   G   N     O E T   O Y
  F     S H G U O C       C
  T   C O L D S N A P
  Y     N E E R G R E V E
          D
      T A H P A L F R A E
```

77

```
F
R S
U   E T I B T S O R F
I G N I Z E E R F
T     F R I G I D
C S   N U R
A   U E E L U
K     G L Z F L E E C E
E       A O L F O G
F R E E Z I N G R A I N
R E I C A L G       F N
O F R O S T B I T T E N
S E V O L G F U R N A C E
T   D A E R B R E G N I G L
Y
```

78

```
G N I H S I F E C I
        I C E H O C K E Y
  I C E B E R G
I     I I C E C R Y S T A L
C H     C S E T A K S E C I
E A S H I B E R N A T E
S I R   C   C   Y E K C O H
T L D   A   E   A       H
O S   O   H         P
R T     O
M O A     H   I C E D A M
  N   E T A L O C O H C T O H
  E     H Y P O T H E R M I A
    R E P A R C S E C I
```

79

```
  L U G E     Y
  O       O   R
  N         V J A C K E T
  G         E   U
  J           R   N
  O     N I P P Y C   A
  H   T S A C R E V O   J
  I N S U L A T I O N   A
  S     S E   C C       T
        N M Y   L
  G O L A K E E F F E C T
          T
S E O H S R E V O T
            I
    R E L F F U M
```

80

```
T H R Z C K N O W E D U O O F A X
R Y S T R S N X V Q L Q M B D Y T
U F M E R S H Q L N X E F Q N F U
V D K C A H E Q R V J I Z X K H
D N L G W U D O P S H A R I N G C
A N E I M E L I C H W M X P Q D D
D I U J L B F A R K E L D W H F C
H P I S S M E M R H E R A A J H K
N O L H H F H E L C N D S X S A
T Q B M N F O G S S A M Z J C I D
S Q M C B M O P U E C M D D P I Z
N G N O K O A D P D N E B T G X Z
F S M A R N Z V X I Q D N S P H E
T A R C Y B G U I N X I T V W H
K B S Z T X B U B S M G O N S Y I
T U D V N M Q N E C M K E M G M Y
B L L V A S I L V E R B E L L S D
```

81

```
H P F D O N R X W J R D U Y B M N
R E C O N C I L I A T I O N S J W
Z K R G S N O W M A N A P S P B I
S E Z V Z T S T F X S A F G S I Y Z
Q L Q K S Z S N M U P Y R O C S B
A Z U W O G L P O D V K W N E B O
L P A E M G E W I V Y C Z G S N W
V J L D X H I Q K R W K I S F R E
J P I F G L G D U B I Y V T B O J
R B T Z T H J S I O T M W X A Q
D T Y H W R B V N Q R Q L F N D J
U V I V I L E G O U N K L X N C A
L J F W P V L C W U O Q Y I N O M
I Z T Q F O L Q V M L F F T G M N
W B Z N K F S G P U R I T Y C J X
Q M T Z N W F E O T C V P Z J U X
X I T G O R T E Q Y E K E K M G D
```

82

```
L H D W L R U L M N N V U M Q G P
X T S U A F A T T A E L T E V K K
C S Q T U R F K C W Z E B Y T O J
F N S H A N M W K H I Q P R C D S
F Q U R T R B X Q T S N C H J E J
Z U G S R S R O W P W T K C F R F
W M A T I D T Y X D N Y R L E Z D
W Q R U U X H A N I T B C E I G C
V B P F M M A Z B I N Q M A S N R
K I L F P P R F X L G G I G U S G
S X U I H P H G B Y E H M V S H K
V W M N A R Q P M N A I T D X X M
H B S G N L T O V U N T H M F I J
K J A Y T D N P J W R C U J W A C
K J Z M C S U S H W A S T T J B J
D N S T A R S X Q Z W D M T I N Y
Z G G X Q D A U B S K W P L L L D
```

83

```
T Y O S P K Y M Z N V O D S G Z M
G R D Z J A G M L B M H O F Z T V
N F A X I Q B V F M G J Z V L S B
W K P U R I T Y F M S L L U S Y Z
J S O I L R P W H X O V F T Q M D
L H Z W R S I Z S B X K Z Y W B I
J S P C F U H C M C N Y T K P O C
H C M X N R Y W A T E W X T L N
W F H A F D S V H I I P K Y L I M
A Z L J J O F T L A L H N Z N S D
R Q W R O W T A G D R C I G P M A
P O Q X H N U N S A C K L K Y T C
I Z O F R Q C F G Q Q B Z Y G Q
G U S T D G G B R E L A T I V E S
W F G V S H N Z L G G B A U X N M
Q V F G N L R H P L Z Z P T O K F
J L W E I T E D D Y B E A R U G U
```

84

```
X M D T C F C H C U X J K L X L R
M Y C G C O A S C N M H V Q K T N
F P B U M J H R B U R D O L N H U
H V A N X L P F N T X O X A S J T
C R H G V O C P M M D C H K Y J C
W M Y U E Z E P E E F P N G S D R
O J Y K P A L T X G M A H N H T A
S T Q K Q C N C R U H S N R Q O C
Q Y Z P A F O T I T H X E V Z R K
E G G W A R M R R T O K E P A T E
Y P N K C A T W I Y J J X K X D R
G K L M U A P S W A P R I N C E S
R G N P R E S E N T S C J E B Y R
S L S T I N K L I N G D R J D O N
E W O B S E R V A N C E E Z Q L Z
Q T X G E N I D F C A F S O B W M
S J P E O C A N X I B Z V U Q O Z
```

85

```
U P F J P T Q O P O F I X L O L L
N L Q M T C W D B S G T G K J S M
P U I G O E V I E N U Q C I M Y I
J K V H Y T P V I E Z R S U T F Q
F V Y O S J I L O L G R L I T N G
L D C G O T K G Z N E P L K S Q E
M O W M A N N C A K R I N G G U M
E L Q L I I L M C A U B N E Q Z B
O P E W X E E A G Q C I A B H E R
J R T O S U R U N H M K L O T M R
L O B N J C S A V M P A O N N L J
M N I B T Y R P I I W E N G E C G
U T B U O T C R Y T E Y Z E Z D G
C L N Q H H T I S E R F I N X J B
J U N D H V H Y W D P I N A L D B
O G X Y R B A X P U I S P F I V T
U F R F N E X A M D J C Q S Y S X
```

86

```
G B D N V I T R X G K L Q E R D D
U B U C H E D E N O E L K W A S D
N M A P T Z D B M B Y P P C J I K
D Q A F A H A C O H V V X T P R V
E A L B O K S Y W Y G C T P L H S
R E N K H Q H B B J T U C A P D L
S G K N D T I V I T U R K E Y L F
T C Y B I W N V G Y C G L Z A G X
A V A L G I G S Z T M Y M C O L B
N O H M K N C O W E W A I L A Z H
D N T Y E K C S U L H P E S R L S
I X Y U J L S B X D Y L R K L K O
N S S E K I S A N T U E H D U L T
G E N P N O Y C Y V W W E H J A X
C U Z A H G O Z Y I Q Z P I X K G
S O Z C Q U A D N E V I T U F Q E X
E U V D H F P U D J R V S I E G X
```

87

```
J S E U R B D B N N W U A N J V T
W G X O P I B N P R C Y C R V A F
H F J H J R J A C R W V V X L K A
M D R C D W R B A K L K C I U F A
L Y E W J W D E X O C W S B I X J
Y K I I N S B L V X M F P F S J C
W R N U M Y V A C A T I O N Z M A
D M D N D A H A O E N G J B S M N
Q Z E D J Z E D E G P I U I H F D
U J E O Y P U W C M D M L O R Y L
I T R V A L U E S V O R L C Z E
N M V X B W H B U Y B P F L A J L
C O C L T S R R L M G G L B Q N I
E I T Y Y X Q I Y P Y R D S U G T
P G F N M E W S L J Y R W U E R E
I C S D M M G K P O G A W F U E X
E W P K O E A T B F D I L U G G N
```

88

```
I F R R C R S N E M G B W M D S G
P M D C F A P Z V J H I S W F S L
R N O T P W M Z M Y H F C A W F E
D Q F I G S A E V B N L O S A K Y
K F V N W G V L L Q D Y P S C G J
X M O K V S E B N S T E X A A C F
B W L L K W N B Z U K D T I R Y Z
H I U I E M I J O E T Q M L O N S
D Z N N X J S C O F P S J R G V U
S U T G L U O B X K G M A E R C H
R N E E P P N U T C R A C K E R S
P G E X V G A J E O V W I N T E R
R F R I D H Y U L E L O G Q J N T
G N W F G D N E X J M U T C U B M
K U V F C Y B U C H E D E N O E L
M R X Q H P P I Y P H F O I J C W
I L W B P T U Q V M L W F B W O Q
```

89

```
U O S U G A R P L U M S G G E T N
N N A T I V I T Y M W N M A B D P
R Y F Y H N S N L Q E Q J J E I Z
G A C Q Z H M E X M E I B Q P D Q
Y T B I D N T L E I C G M K F D T
F H R G U N I S W Z A Y T S C R V
L N A T I V I T Y M N V Z N L D M
P G Y P O W D L O C D Z V J X W C
X X C O Z Y E X D O L W B D P E H
C G T J D W O N D E R R Y R K O U
W Z D U B V B T B W L O B A G B V
A O W G R T Y A D W I Q L O Q Y C
X E S Q I T Z A F X T O W S M Z S
P M Y T S T Q D A S H I N G F O K
I R I A K Z U F G G B D T K A E M
B P P J B L C T P Z C S Y O D L U
B B G P M X X I T Q K M Y T H S G
```

90

```
I O D X Z G U N I F J P X F Q W I
D L Y U A I D D X L G H V Y U A P
P H O B N G X X N I Z J K U Z S Z
Z O R K U D A O A G Y V C L H Y A
X D K W T U E O L Z O E U E K A Z
W W S V C B D R N N U I C T S F Z
L T H H R M F D S M T L Y I P T I
T Y I D A Y W C W T H T H D D F V
I P R P C U S T N A A Y M E U Y W
N I E L K L B X V W U N Q A T N B
K C P V E E R O K R E N D S F B Y
L A U S R L W J F E K I E I A J L
I L D G S O B B N A G Z G R N G F
N H D O A G R M K T J L D Y O G M
G C I M L P Z E K H Q H G R A D U
X O N Z J K Z J Z F Z K N H Y N L L
N C G N Q A Y Q V J U B J P A L I
```

91

```
G O S F J C U A C I A Q V P X N W
K M O W L O V G N N M Y L Z Z U L
Q I D R O P N S F A Y G R T J T N
E S J Q D Q B M U T Q H Q I J M T
T U Z R I E G U I I I P H O W E J
H G Z E W X M J B V R C S M G G T
W A J L H I L Z H I Q Z S H Q X V
O R S A P H S Q S T C G W A U I T
V P W T P S X E M Y N U E F I Q X
A L I I R E Z M I B M Y A N N M V
N U M V E R L A M E B L X Q C G V
I M D E S H R M B N V J C E C B
L S K S E C I F Q Z M L L V P L B
L B H J N R B N Y G O P E E I X R
A Z W P T R V U T E D D Y B E A R
B M G Q S H F B V H B C G N C F B
R I D P Z L P K X D F S O O D R
```

92

93

94

95

```
K C N W B V E T X X Y G D O S A M
Q A T D I W P S Y D B O X Y P R E
X N Q Y I C I Y D Q S A V I D A V
O D Y O X V O N B F R M M M R M C S
G Y L Y O R O S T O S K A C O R W
M C O K P H R C V E U C F V X O V
C A H D C A N D L E R G Y R B G R
S N L A L P A O G Z Y Y H Q Q M C
V E Y C O A O U R G Q Y O A V U J
X R T A F E H G Z T V C Q X X O B
T C M K J Z N Q X M B M S O U V O
U A C U S U O F Z U Q M A W U Z V
R R B L F Y Y A W W J E G M J Y H
K G T V T Q S C C O E D H C I A S
E X H J Z A G A A V R J Q N Z B
Y O Y O B M U P N Q J I I Y L Z V
Z Y R N L V A C A T I O N J R K U
```

```
H A W B N U U X S D Z V F N Q D P
Q F C L A N M M H J D C O T N C C
Q X I Q I N K E K S T I A S B E A
G M M Z S L O P R Z T B O W L F F
R Q N K H J S E F A E F I D I E O
W X G L L L U R Q K N Z U Z C L
Y E O S O O E B S E K H W P Z Y I
F U M R R A E Y Z V R V V A Y N
Y Q A A Q L I Y G Y O K Y R R G
T C C L E V Q T L N E N G A D U K
A R F C C W I F O K X Z E L T O G
M W C E Z R G M T N H A H C V D N
F P C X A T E C H I L L E D H I V
G D D H S R T D E C S X H T X G E
S B C U E R W W Q R M K R D G R T
Q Q F C X A H D U Q V I Q M G V N
Q C H E S T N U T S B Y O G A O Q
```

```
K P H M K S F Y Y O A W V T Z E S
J C H R I S T M A S E V E F Q A R
P B C A W F T Z Z N B W O B M L P
I Q C I D E R J B U Z S Y T E Q X
Q C Q O F B T D X R D L S D K D Z
H O F H T A O O X N L I I S R G U
R O P P D L E D A I R T G A S L H
E K F Z B K E T H H S O C C H P Z
R I T Y I V S C C A R S D P K S L
V E G Q K E H B M K A W G V V H
B S I K E B M T W M B E X P C D C
M O J R J M S J T L B K O N N D A
D E T O Y I X S A M Y M L T Q J R
B Y G U R Y I O E I S E Z R J R
Y T D H C R C C I P Q D P C S X
J K C Q H H E W W S P F J L O O N
K W L C H D X R P J T I Q Z N I V
```

```
A I X Y S B D I S P L A Y C G K B
Q C A M K Z X T H U E K W X X H C
P E V E N I N G A E N W P G M P X
S C L Z G I R C T B L I Z Z A R D
H C H W V Y Y A M Y U I L J F M Q
G A P M N W R F N R D N J T F H J
Q N E N W O Y J E V E X Q O D R H
Q D N V C F I L G W B N I H Q W A
N Y M E E N K U H S I W X N J D Z
J C D D Z R E P M O R M F L S S Z
E A U E N L G T J P T T B C U E V
V N N S D R X R S Q H N V V B L O
Y E Q N N F G E E T S A N Z C F U
D D A B Q H R V N E S N R P T T N
O C Q D V R Z M Y J N V O S F C G
G Q X F F E Z T T A Q K F Z F S Z
C C V C D Z Z P T H A P H R D B D
```